Stelletje ongeregeld

Tom Bezemer

Stelletje ongeregeld

Voor Janny, Jan Pieter, Margreeth en Bert, Tom en Leontien, Rianne, Yasmine

Omslagfoto Per Dahl/Johnér/Image Store
Omslagontwerp Studio Ron van Roon
NUR 284 / ISBN 90 258 3598 8

INHOUD

Harley

Ze vonden hem meteen een toffe kerel.

Toen hij op een maandagochtend op zijn motorfiets kwam aanrijden, draaiden alle hoofden zijn richting uit. Het prachtige antieke vervoermiddel glom en glansde alsof het zo van de fabriek kwam. De regelmatige donkere bromtoon van de nog even stationair draaiende motor klonk warm en vertrouwenwekkend boven het lawaai van het andere verkeer uit.

Op de parkeerplaats naast de school was de tweewieler pure schoonheid, waarbij zelfs de blauwe Mercedes van de directeur een lelijk eendje leek. Van de berijder was weinig te zien in zijn leren pak.

Met helm en stofbril in de hand haastte hij zich naar binnen.

In een mum van tijd stond het halve schoolplein rond de naar olie en benzine geurende motorfiets. Driftig getik op het raam van de conciërgekamer... heftige gebaren van meneer Akkermans. Slechts enkele leerlingen deden een stapje achteruit.

'Tjee, een echte Harley-Davidson,' was alles wat Kevin kon uitbrengen.

'Gaaf karretje,' zuchtte Jeffrey, anders nooit om een woord verlegen maar meer dan deze twee kon hij nu niet bedenken.

'Een Duo-Glide, type Panhead, 1200 cc, 1958,' zei Wouter met overtuiging.

'Duo-Glide... Panhead... Wat bedoel je?'

'Dat is het motortype, Pimmetje.'

'En hij is in 1958 gemaakt. Jij snapt ook niks, eikel.' Marco duwde Pim opzij om het glimmende chroom van dichtbij te bekijken.

'Dat is niet zeker, maar met dit type zijn ze in ieder geval in 1958 met de productie begonnen,' corrigeerde Wouter.

'Hoe weet jij dat allemaal?'

'Mijn broer weet alles van motoren. Die heeft plakboeken vol met Harley-Davidsons. Vier versnellingen, 55 pk, deze zou inderdaad wel eens veertig jaar oud kunnen zijn.'

Niemand had verstand van motoren. Wouter praatte zo stellig dat hij de expert werd. De komende tijd zou hij elke dag weer een nieuw technisch detail ontfutselen aan de plakboeken van zijn broer. Op deze eerste dag echter waren de aanblik en de geur van dit technisch wonder uit grootvaders tijd al voldoende om het verlangen naar een moderne bromfiets voorgoed opzij te zetten. De eigenaar was vergeten – tot het vierde lesuur meneer Van Dijk, de directeur, het lokaal binnenstapte met achter hem een jonge stekeltjeskop. Spijkerbroek, bontgekleurd hemd, kettinkje om pols en nek.

Wat niet vaak gebeurde: de klas werd onmiddellijk stil. Dat was hem dus, de eigenaar van de Harley. Lang was hij, heel lang. Van Dijk, toch ook niet tot de kleinsten behorend, kwam niet verder dan zijn schouder. Vanaf de achterste bank klonk een zachte kreet: Daphne sloeg haar hand voor haar mond en staarde met grote ogen naar de man voor de klas. Wouter fronste zijn wenkbrauwen. Donders... voorlopig kon-ie het wel schudden bij Daphne... kansen verkeken... die had alleen maar oog voor die nieuwe.

'Zo jongelui, het is me een genoegen jullie voor te stellen aan meneer Davidson, jullie nieuwe docent geschiedenis. Ik hoop...' Meneer Van Dijk pauzeerde terwijl hij de halve bril van zijn neus schoof en losliet, zodat hij aan het koordje om zijn nek bleef hangen. Hij keek veelbetekenend de klas in.

'Ik verwacht dat jullie goed zullen samenwerken met meneer Davidson. Beter dan jullie hebben gedaan met mevrouw De Wit.'

Niemand reageerde. Protesteren had geen zin. Alsof zij het konden helpen dat Witje geen orde kon houden en enkele weken geleden huilend de klas was uitgelopen, waarna niemand haar meer in school had gezien.

Alle ogen bleven op de nieuwe docent gericht, ook toen de directeur met een laatste waarschuwende blik het lokaal verliet. Meneer Davidson liep naar het bureau bij het raam, schoof de stoel naar achteren en ging zitten. Het maakte niet veel uit: hij torende nog steeds boven de leerlingen uit die hij echter niet leek te zien. Hij pakte de plattegrond van het bureau en bestudeerde die zonder de klas een blik waardig te keuren. Na enige tijd legde hij de namenlijst neer. Langzaam, tafel voor tafel, gleden zijn ogen over de gespannen gezichten. De stilte was voelbaar. Wouter keek naar Jeffrey... *Waarom doen we niks...? Waarom maken we er geen zootje van... onder de bank kruipen... neuriën... keihard een lied zingen...?* Jeffrey haalde zijn schouders op en schudde zijn hoofd. Zijn ogen waarschuwden: *Niet doen... dit is Witje niet!*

'Jullie kunnen je boek wel sluiten.'

Hij sprak met een wat hese, zachte stem, duidelijk genoeg om tot achter in het lokaal verstaanbaar te zijn. Vijf boeken bleven open. Als dit een poging was hem uit te dagen, dan zeker niet van Daphne die hem in aanbidding aanstaarde en waarschijnlijk niet eens had gehoord wat hij zei.

'Jullie ook... Daphne, Stefan, Victor, Lisanne, Marloes...'

De boeken vlogen dicht toen hij vriendelijk doch beslist en zonder een blik op de plattegrond te werpen de vijf namen noemde.

'Prettig kennis gemaakt te hebben met jullie. Nu gaan we aan het werk.'

Wouter keek opnieuw naar Jeffrey, trok met zijn schouders en maakte met beide handen een hulpeloos gebaar: *Ongelofelijk, die man is echt de baas...*

En dat binnen vijf minuten.

Dat zei ik toch al, seinde Jeffrey terug.

'Deze eerste les gaat over twee zeer bijzondere mensen die bijna honderd jaar geleden in een oude schuur in Milwaukee in Amerika een eigen bedrijfje begonnen. Daar produceerden in 1903 Bill Harley en Arthur Davidson hun eerste motorfiets...'

Vanaf die dag werden de geschiedenislessen spannende uren in de vaak saaie schoolweek. *Jullie kunnen je boek wel sluiten* werd een zin die bijna elke les terugkwam. Dan zakte iedereen in de makkelijkste houding en was er weer een boeiend verhaal... een verhaal dat natuurlijk zou uitlopen op een opdracht voor thuis. Maar huiswerk voor Davidson was de gewoonste zaak van de wereld en deed je zonder mopperen. Nooit een smoes. Want deed je het niet, dan liep je kans niet te kunnen meedoen aan de vaak verrassende groepsopdracht waarmee de les begon.

Er bleef een geheimzinnige sfeer om hem hangen. Over zichzelf praatte hij nooit. Vragen genoeg – met name voor Daphne – maar zelfs zij durfde die alleen buiten op het schoolplein te stellen. Hij was gek van motoren, maar meer wist niemand van hem. Zoals hij 's morgens kwam, onherkenbaar in motorjas, helm en stofbril, zo reed hij 's middags als een oude zwartwitfoto uit een plakboek de schooldag weer uit.

In het informatieboekje van de school stond hij in de rubriek *Docenten* als H. Davidson. *Harley*, riep Jeffrey meteen en dat werd het dus voortaan.

'Waar zou hij wonen?' Vanzelfsprekend was dat voor Daphne een brandende vraag.

'Vast ver weg... met die motor...'

'Ach Pimmetje, doe nou niet zo stom. Van Dijk woont om de hoek en die komt elke dag met zijn Mercedes, watje.'

Pim kreeg een kleur en hield zijn mond.

'Hij staat niet in het telefoonboek.' Daphne was niet de enige die zich thuis al met het probleem had beziggehouden.

'Zal ik Van Dijk vragen waar hij woont?' Het klonk onverschillig uit de mond van Wouter. Net als de anderen keek hij Daphne aan alsof de vraag alleen voor haar bedoeld was.

'Durf je dat?'

'Tuurlijk.'

Haar aandacht terugkrijgen – daar durfde hij de geschiedenisles nog wel voor te verpesten. Alleen: het risico dat hem dat niet in dank zou worden afgenomen was te groot.

's Middags klopte hij aan bij de directeur.

'Waarom wil je zijn adres hebben, Wouter?'

'Nou, eh... gewoon, eh...' Onder de scherpe blik van Van Dijk kon hij even niet uit zijn woorden komen.

'Tja, dat lijkt me een duidelijke reden.' Van over de halve bril keken twee ogen hem spottend aan. 'Sorry Wouter, we geven geen adressen als het niet strikt nodig is. En in dit geval zeker geen telefoonnummer want dat is geheim.'

Tegenover de klas – of tegenover Daphne? – probeerde Wouter nog stoer te doen, maar het was duidelijk: Van Dijk had hem afgepoeierd.

'Waarom volgen we hem niet gewoon?' waagde Pim de volgende dag in de pauze op het schoolplein.

'Je bedoelt lopend. Lijkt me een geweldig idee, Pimmetje. Voor we bij de hoek van de straat zijn, is Harley thuis.'

'Maar je kunt toch alvast op die hoek gaan staan,' hield Pim vol.

'Slimmetje Pimmetje, een motorfiets gaat hard, weet je, heel hard... Maar probeer het eens vanmiddag, als je tenminste het einde van de straat haalt.'

Gelach. Bij gymnastiek hijgde Pim met zijn zware lichaam altijd achteraan.

Alleen Jeffrey keek nadenkend. 'Wacht even jongens. Wat Pim zegt, is zo gek nog niet.'

Nu lachte niemand meer. Verbaasde blikken... en boze, donkere ogen van Pim, die zijn lippen op elkaar perste. Altijd hetzelfde gezeik... Waarom werd er nu niet meer gelachen en wel toen hij...?

'Als iemand inderdaad op de hoek van de straat gaat staan, kan hij zien welke volgende straat hij neemt. Daar gaan we dan de volgende dag staan en dan zien we weer...'

Hij stopte aarzelend toen hij de ongelovige gezichten om zich heen zag.

'Tjee man, dat duurt maanden...'

'Harley kan wel in Groningen wonen.'

'Heb jij dan een beter idee?'

Maar Daphnes ogen begonnen te stralen. 'Met z'n allen moet het lukken. Ik vind het een fantastisch idee, Pimmetje. Kom hier jochie...'

Ze sloeg haar armen om Pim heen en drukte een stevige kus op zijn wang. Met een knalrood hoofd keek Pim de kring rond. Vergeten was de boosheid. Vanaf vandaag zou hij nooit meer zijn gezicht wassen...

Wouter keek nors en jaloers een andere kant op.

'Maar kop dicht, hè, buiten de klas. Hij mag niks in de gaten krijgen.' Jeffrey hield de leiding stevig in handen.

Binnen enkele dagen zaten ze gevangen in hun speurtocht. Het liet hen geen moment meer los. Elke morgen voor schooltijd werd afgesproken wie er aan de beurt waren. Wat eerst nog lopend lukte, moest al spoedig op de fiets gebeuren. Niemand wilde afhaken: wie normaal de trein of de bus naar school nam, pakte – weer of geen weer – de fiets. Soms was Harley zo snel vertrokken dat volgen geen zin had, soms was hij weg voor de laatste les van 2a. Maar spoedig kende iedereen zijn vertrektijden uit het hoofd.

De vierde dag stonden Jeffrey, Wouter en Victor drie uur in de regen te wachten. Ze wisten dat er een docentenvergadering was. Net toen ze de moed wilden opgeven, raasde Harley voorbij. Drijfnat waren ze, maar zeer tevreden werd de rijrichting vastgelegd in het ruitjesschrift dat Daphne voor de gelegenheid had aangeschaft.

De week daarop kwamen ze echter geen stap verder. Al het werk leek voor niks, omdat Harley enkele dagen achter elkaar 's middags in tegenovergestelde richting verdween.

'Hij heeft ons in de smiezen. We kunnen wel ophouden.' Daphne had meestal snel haar oordeel klaar.

Wouter zag zijn kans schoon wraak te nemen op Pim. 'Welke idioot heeft dat stomme plannetje ook alweer bedacht?'

Maar toen Harley de volgende dag zijn oude route nam, werd zonder discussie de speurtocht weer opgepakt. Zo kon Kevin op een dag triomfantelijk melden dat hij Harley de weg naar Zunderdam had zien oprijden.

'Dan kan-ie tot daar niet meer van de weg af,' riep Daphne onmiddellijk. 'Dat kost minstens een half uur op de fiets.'

'Doen wij wel, hè Jeffrey?'

Hoe wist Wouter ook niet, als hij maar bij Daphne in beeld bleef.

'Hoe wil je daar na schooltijd komen voor Harley er is?'

'Ik heb al eens eerder de handtekening van mijn vader op een absentiekaart gezet.' Jeffrey wist altijd wel een gewaagde oplossing voor een lastig probleem.

'Laat mij dat nou maar alleen doen, Wouter, dan valt het niet zo op. En als jullie mij de handtekening van je vader of moeder geven, kan ik thuis oefenen... kunnen we om de beurt een uurtje spijbelen.'

'Tjee,' siste Carlijn, 'maar ik...'

'Als je niet durft, schijtmuts...'

Maar niemand haakte af. Ze konden – ze wílden niet meer terug. *Zou het wel lukken...? Zou het niet lukken...?* De vragen maakten van elke dag een spannend avontuur.

Een week later meldde Victor dat hij Harley de snelweg had zien oprijden. Zijn gezicht stond somber.

'De eerstvolgende afslag ligt zeker vijf kilometer verder. Dat kunnen we dus wel schudden. En die stomme Akkermans heeft mijn moeder gebeld. Hij vertrouwde de handtekening niet.'

'Ik ga zelf wel weer,' zei Jeffrey. 'Met die beugel van mij moet ik toevallig heel vaak naar de ortho.'

Van opgeven wilde niemand weten. Elke keer als Harley de klas binnenstapte, was er de tintelende spanning: had hij nog steeds niets in de gaten? Of zou hij het vandaag zeggen, zacht maar beslist: Nu is het afgelopen met dat spioneren. Ik verbied jullie mij nog langer te volgen.

Maar het enige bijzondere was – na het sluiten van de boeken – een nieuwe les met een prachtig verhaal.

'Ik heb hem weer, jongens.' Met schitterende ogen meldde Jeffrey dat hij Harley afslag dertien had zien nemen. Gravestein lag maar een kilometer van de snelweg. Zou hij daar wonen? Over een week was het herfstvakantie. Zouden ze nog voor die tijd hun doel bereiken? Anders zou de speurtocht een week stilliggen.

Jeffrey bepaalde dat hij en Wouter met behulp van enkele valse handtekeningen tegelijk een vrije middag zouden nemen.

'Vlak voor Gravestein kun je nog alle kanten op. Met z'n tweeën is de kans dat we hem kwijtraken kleiner.'

Rond half vier reed Harley Gravestein binnen en nam de eerste straat links, waar Jeffrey, achter zijn fiets om niet herkend te worden, deed alsof hij een afgelopen ketting weer teruglegde.

'Yes,' zei hij halfluid toen de motorfiets vijftig meter verder vaart minderde, stopte en de lange man afstapte.

Even later smeet Wouter hijgend zijn fiets op de grond en hurkte naast Jeffrey. Met glinsterende ogen keken ze elkaar aan, toen ze Harley een garagedeur zagen openen. De motorfiets werd naar binnen gereden. De klap van de metalen deur die werd dichtgesmeten klonk vanuit de verte als muziek in hun oren. Toen verdween Harley door de voordeur.

'We hebben hem,' fluisterde Wouter.

'Kijk,' zei Jeffrey. En hij wees naar de lantaarnpaal op de hoek van de straat: Donkervoortweg.

'Nu het nummer nog. Maar hij mag ons niet herkennen.'

'Denk je dat ik gek ben, eikel.' De spanning maakte Jeffrey kribbig.

Vanaf een speelveld tegenover het huis konden ze ongezien de grote vrijstaande woning in de gaten houden.

'Wat nu?' vroeg Wouter.

'Nog even wachten. Wie weet ontdekken we nog wat.'

Na een half uur werd het wachten beloond. De voordeur ging open en een blonde vrouw – lange rok, kort jasje – kwam naar buiten. Ze pakte de fiets die tegen de gevel stond en was na enkele ogenblikken verdwenen.

'Hij woont op de Donkervoortweg nummer 12 in een mooi groot huis en hij is...' Jeffrey keek pesterig in Daphnes richting. '...en hij is getrouwd.'

'Met een mooie blonde vrouw,' voegde Wouter er triomfantelijk aan toe.

'Hoe weet je dat-ie getrouwd is?'

'Nou ja, misschien wonen ze samen, maar dat is voor jou hetzelfde.'

'Kan toch best zijn zus zijn?' Daphne keek met een uitdagende blik de kring rond. Wouter klemde zijn kiezen op elkaar. *Shit... die meid gaf het ook nooit op.*

Het was twee dagen voor de herfstvakantie. Het karwei was geklaard. Voor het eerst moest Harley aan het begin van de les om stilte vragen.

'Niet allemaal tegelijk, jongens. Veel te riskant. Als jullie in de vakantie naar Gravestein willen, geef je dat bij mij op.'

Na het succes van de speurtocht was Jeffrey niet van plan de leiding uit handen te geven.

Agnes liep weg van de groep.

'Knettergek... allemaal,' mompelde ze.

'Ga jij maar weer gezellig vakantie vieren bij je nichtje in de Achterhoek, trut,' riep Daphne haar achterna.

'En wat gaan we na de herfstvakantie doen?' vroeg Pim.

Iedereen keek naar hem.

'Nou ja, eh... ik bedoel...' Pim stotterde, kreeg een kleur, zweeg. Niemand gaf antwoord, niemand wist een antwoord.

Toen verpestte Daphne alles. Op de laatste zaterdagmiddag van de vakantie zat ze met Valerie, Wouter en Jeffrey op een bankje op het speelveld, onopvallend tussen de spelende kinderen. Drie dagen was het stil geweest rond het huis. Kennelijk waren de bewoners enkele dagen weg geweest. Maar de ochtendploeg had gemeld dat Harley rond elf uur was thuisgekomen. Alleen. Dat leidde tot de wildste fantasieën.

'Je maakt weer kans, Daphne.'

Ze had niet gereageerd op de pesterijen van Jeffrey.

Toen om twee uur de voordeur openging, zagen ze tot hun verbazing de blonde vrouw naar buiten komen. Ze liep het tuinpad af, de straat in richting centrum.

'Krijg nou wat,' bromde Wouter, maar Daphne begon te giechelen.

'Wat zijn jullie een stelletje sufkonijnen, zeg.'

'Wat bedoel je?'

'Kijk dan, eikels. Zien jullie dan niet dat het Harley zelf is...?'

'Je bent gek,' fluisterde Jeffrey hees.

'Een homo,' was het eerste wat Wouter kon uitbrengen.

'Geen homo, slimpie, maar een travestiet.' Er klonk minachting in Daphnes stem.

Opeens liep Jeffrey weg. Hij rende naar de rand van het speelveld en verdween in de struiken. Even later passeerde daar de blonde vrouw. Toen hij terugkwam, keek hij erg opgewonden.

'Je hebt gelijk. Het is Harley.'

'Natuurlijk heb ik gelijk. Zoiets zie je toch meteen. Ik weet niet wat jullie doen maar ik ga naar huis. Ga je mee, Valerie?'

De maandag na de vakantie barstte de discussie al op het schoolplein los. De klas was in twee kampen verdeeld. Een groep die het allemaal om het even was en de nieuwe situatie gewoon accepteerde. En degenen die vonden dat dit niet kon. Een travestiet op het Waterlandcollege...

Vooral Wouter liet zich nadrukkelijk horen, waarbij hij – wat de anderen ook zeiden – Harley hardnekkig een homo bleef noemen.

'Mijn vader zegt dat alle homo's viezeriken zijn.'

De woorden van Wouter, helder en duidelijk vanaf de achterste bank in de klas maakten in één klap een eind aan het aarzelende groepsgesprek over discriminatie. Het werd doodstil.

Wouter had slechts aandacht voor de bewonderende ogen van Daphne, maar in spanning keken de anderen naar de man voor de klas. Harley, die gedurende het gesprek maar weinig had gezegd, richtte zijn blauwe ogen op Wouter en zei zonder stemverheffing: 'Zo Wouter, vindt jouw vader dat. Daar zou ik nog wel eens rustig met hem over willen praten. Maar dat is op dit moment niet zo belangrijk. Het gaat er nu om wat jij vindt, nietwaar?'

Alle blikken waren nu op Wouter gericht die rood werd, zenuwachtig met zijn ogen knipperde, maar duidelijk hoorbaar antwoordde: 'Ik vind het ook, meneer. Homo's zijn viezeriken... en travestieten ook. Allemaal één pot nat, zegt mijn vader.'

Er ging een lichte siddering door de klas. Even leken Harley's ogen vuur te schieten, toen was het moment voorbij en klonk vanachter het bureau de rustige stem: 'Alweer je vader, Wouter. Wordt het niet tijd voor een eigen mening? Wat vind jij, Natascha?'

Zo werd het toch nog bijna een gewone les.

Maar Wouter kon niet meer terug. Toen Harley twee dagen later tegen het eind van de les het bord omklapte om het huiswerk op te schrijven, stond daar met grote letters: GEEN TRAVESTIETEN OP SCHOOL!!

Harley bleef roerloos staan, rug naar de klas, zijn rechterhand nog aan het bord. Terwijl hij zich omdraaide, zakten zijn schouders naar beneden en leek het of hij kleiner was geworden. Net als die eerste les dwaalden zijn ogen van tafel naar tafel. Tenslotte zei hij: 'Jullie vallen me tegen. Voor de volgende keer geen huiswerk.' Met enkele stappen was hij bij de deur en voor iemand iets kon zeggen of doen was hij verdwenen.

Toen barstte de klas los. De meesten waren woest. Slechts een enkeling nam het op voor Wouter, waaronder Daphne.

'Jullie denken het, Wouter durft het tenminste te zeggen.'

Met een glimlach liet Wouter de verwijten over zich heen komen. Wat kon het hem schelen? Hoe Daphne erover dacht, dat was het enige wat telde...

's Maandags werd de klas in het geschiedenislokaal opgewacht door meneer Van Dijk. Zijn gezicht stond ernstig.

'Ik moet jullie iets bijzonder vervelends vertellen. Meneer Davidson heeft een ongeluk gekregen. Gisteravond is hij tijdens een hevige regenbui geslipt en tegen een boom gereden. Hij ligt met ernstige verwondingen in het ziekenhuis. Het is...' Hij aarzelde, zocht naar woorden, was duidelijk diep onder de indruk van de gebeurtenis.

'Het is kritiek, heb ik begrepen. Er is direct levensgevaar.'

Drie weken leefde 2a in angstige spanning. De ruzies waren vergeten, de speurtocht leek ver weg en kinderachtig; niemand sprak er meer over. Bijna elke dag kwam meneer Van Dijk even de klas in, ook als er eigenlijk niets nieuws te vertellen was.

'Zolang er leven is, is er hoop,' zei hij dan met een zwakke glimlach.

Op een koude novemberochtend kwam hij tijdens de les Frans binnenlopen.

'Ik heb een droevig bericht...'

'Nee...' fluisterde Daphne. Het was zo stil dat iedereen dat duidelijk kon horen.

'Het is helaas *ja* Daphne. De afgelopen nacht is meneer Davidson overleden. Ik heb begrepen dat hij na het ongeluk nauwelijks meer bij kennis is geweest. Jullie, eh... konden goed met hem opschieten. "Mijn favoriete klas," zei hij onlangs nog tegen me. Het is...'

Hij zweeg, had duidelijk moeite met zijn emoties. Marloes begon zacht te snikken, Daphne sloeg een arm om haar heen. Pim wreef in zijn ogen en Victor legde beide handen over zijn gezicht. Jeffrey staarde met grote ongelovige ogen naar zijn directeur. Wouter klemde zijn tanden en lippen stijf op elkaar.

Mevrouw Bosveld stond op. 'Jullie moeten je boek maar sluiten,' zei ze. Er ging een schok van herkenning door de klas.

'We moeten maar eens even praten, vinden jullie niet?'

Bijna de hele school was op de begrafenis. Van klas 2a ontbrak niemand. De kerk was te klein voor alle mensen en op het kerkhof van Gravestein liep een eindeloze rij mensen langs het graf dat geheel verdween onder kransen en bloemen.

Dag Harley, klas 2a stond op twee linten aan een grote bos geelwitte bloemen. Ze hadden elkaar aangekeken: *Wat zet je daar nou op... op zo'n lint?* Zonder discussie was Lisannes voorstel aangenomen.

Enkele dagen voor de kerstvakantie werd Wouter bij de directeur geroepen.

'Wil je even gaan zitten, Wouter?'

Dat vroeg Van Dijk alleen als er iets gewichtigs aan de hand was.

'Vanmorgen kreeg ik een brief van de familie van meneer Davidson. Bij de post die naar het ziekenhuis werd gestuurd vonden ze deze kaart.'

Wouter werd warm, voelde het rood vanuit zijn hals omhoog kruipen, het prikte bij zijn haarwortels toen Van Dijk een ansicht van het bureau pakte.

'Ze wisten niet wie Wouter Verhoeven was en vermoedden dat het een leerling van school was.'

Van Dijks stem leek van heel ver te komen. Wouter hoorde nauwelijks wat hij zei... staarde naar de kaart die hij een maand geleden – wanhopig – naar het ziekenhuis had gestuurd.

Op de voorkant een glimmende Harley-Davidson, op de achterkant:

Beste meneer Davidson, ik hoop dat u gauw beter wordt.
Sorry, ik bedoelde het niet zo.
Wouter Verhoeven

'Ik weet niet wat er is gebeurd, Wouter. Dat hoef je me ook niet te vertellen als je dat niet wilt. Maar weet wel dat meneer Davidson erg gesteld was op 2a. Dus ook op jou. Als ik wat voor je doen kan...'

Met de kaart in zijn hand staarde Wouter in de vragende, bezorgde ogen achter het bureau. Hij schudde zijn hoofd, hij kon geen woord uitbrengen. Toen stond hij op, liep de school uit, pakte zijn fiets.

Waarom had hij van die stomme dingen gezegd? Daphne... maar die zag hem allang niet meer staan.

Tegen de koude decemberwind in trapte hij, zonder te weten waarheen, diep gebogen over het stuur van zijn fiets. In zijn hoofd klonken steeds weer de woorden van Van Dijk toen hij in de klas vertelde dat Harley was overleden: *Meneer Davidson is nauwelijks meer bij kennis geweest.*

De kaart had hem waarschijnlijk nooit bereikt...

In de maanden die volgden werd er veel over Harley gesproken. In de klas, buiten de klas – alleen niet door Wouter. Hij luisterde, zweeg, dacht aan de kaart, thuis in zijn bureaula. Op een warme voorjaarsmiddag in mei haalde hij hem tevoorschijn, staarde even naar de overbekende tekst en stopte hem toen in zijn broekzak. Het was een lange fietstocht van Ilpenburg naar Gravestein. Het hek van de begraafplaats piepte toen hij het openduwde. Een tuinman, twintig meter verderop, keek op maar besteedde verder geen aandacht aan hem.

Aarzelend liep Wouter het brede middenpad op. Zoveel grafstenen... kruisen... namen... Waar was het graf van Harley? Tijdens de begrafenis, met honderden mensen, had het kerkhof veel kleiner geleken.

Na tien minuten stond hij weer bij de uitgang. Hij veegde het zweet van zijn voorhoofd. Hij zou het nooit vinden. Naar huis gaan...? Wat wilde hij hier eigenlijk?

'Kan ik je misschien helpen?'

Wouter schrok van de stem achter zich. Hij draaide zich om en werd rustiger toen hij de vriendelijke ogen zag die hem nieuwsgierig opnamen.

'Ik, eh... ik zoek... Ik zoek meneer Davidson...'

Het graf van meneer Davidson... schoot het door hem heen. Maar hij verbeterde zijn zin niet.

Binnen twee minuten bracht de tuinman hem op de plek; hij was er misschien wel drie keer langsgelopen.

'Familie?'

Wouter schudde zijn hoofd, beet op zijn lip. *Alsjeblieft niet verder vragen.* Gelukkig liet de man hem alleen.

Wouter staarde naar de uitgehouwen letters: *Onze lieve zoon Harley Davidson.* Zijn ogen gleden van de rechtopstaande steen naar de lange spiegelgladde marmeren plaat ervoor, waarin de wolken weerkaatsten die langzaam door de lucht dreven. Er stond alleen een vaas met bloemen.

Toen viel zijn blik op de smalle opening tussen beide stenen. Zou hij...? Was dat niet gek? Mocht dat wel? Zou die tuinman...?

Hij pakte de ansicht uit zijn zak. Nog eenmaal keek hij naar wat hij had geschreven. Hij bukte, de letters waren nu vlakbij... *27 jaar*.

'Sorry, Harley...'

Hij duwde de kaart tussen de twee stenen naar beneden. Dat lukte maar half. Voorzichtig schoof hij hem heen en weer, liet hem los. Toen verdween hij in de smalle gleuf.

Pimmetje

'Hé Pimmetje, ik kan morgenavond niet op je feest komen.'

'O.'

'En Kevin en Jeffrey kunnen ook niet. We gaan met mijn oom naar Feyenoord in Rotterdam.'

'O.'

Meer reactie verwachtte Wouter kennelijk niet. Hij draaide zich alweer om naar zijn vrienden, schreeuwend dat ze op hem moesten wachten. Dus hoefde Pim zijn teleurstelling niet te verbergen. Wouter was nummer zeven. Samen met de twee andere Feyenoorders waren dat er al negen. Negen die een voetbalwedstrijd, een film op tv of de koopavond belangrijker vonden dan zijn verjaardagsfeest...

Veertien was hij gisteren geworden.

'Waarom geef je niet eens een feest voor je klas?' had zijn moeder enkele weken terug gevraagd. 'Ik zie thuis nooit iemand van je school.' Een feest om zijn moeder kennis te laten maken met zijn klasgenoten... daar zat-ie niet op te wachten. En het was ook niet helemaal waar: twee keer was Victor na schooltijd met hem meegereden. Alweer enkele maanden geleden, maar toch. Die had zijn ogen uitgekeken in het grote huis aan de bosrand waar hij samen met zijn moeder woonde. Vooral bij het zien van de reusachtige zolderverdieping die Pim geheel voor zichzelf had ingericht, was Victors mond opengevallen van verbazing.

'Hier kun je mijn kamer vier keer in kwijt en dan hou je nog ruimte over.'

Toen Pim wat langer over het voorstel van zijn moeder nadacht, begon hij te aarzelen. In gedachten zag hij Wouter, Jeffrey en Daphne met verbaasde en jaloerse blikken zijn kamer binnenkomen, vol bewondering voor de gemakkelijke stoelen, de televisie, de computer en de geluidsinstallatie. Misschien zouden ze één avond vergeten hem Pimmetje te noemen, misschien zouden ze hem eindelijk eens een keer serieus nemen.

Hij gromde een lelijk woord toen hij zijn tas achter op zijn fiets bond. Serieus nemen – dat kon hij wel vergeten na al die smoezen van de afgelopen dagen. Juist degenen op wie hij indruk had willen maken, lieten het afweten. Vaak op een manier waaruit bleek dat zijn verjaardag ze geen barst kon schelen. Ach, het was Pimmetje maar, die slome loser telde niet mee... Driftig schopte hij tegen een steen die met een hoge rinkel tegen het metalen hek om het schoolplein ketste. Zou hij het feest maar niet afblazen? Maar wat moest hij dan thuis zeggen? Zijn moeder was af en toe toch al veel te bezorgd. Ze zou er niets van begrijpen en het allemaal uitleggen betekende dat hij moest toegeven dat hij niet zo populair was op school. En dan kwamen natuurlijk weer de adviezen: 'Zou je niet eens dit en is het niet beter dat...' Goed bedoeld en lief, maar op school had je er niks aan.

Nog twaalf waren er over, waaronder een paar die hun schouders hadden opgehaald toen hij ze uitnodigde. Daphne, Victor, Marco en Stefan hoorden ook bij die twaalf. Toch maar door laten gaan? De gedachte dat zij wel zouden komen, stemde hem iets vrolijker.

Daar bleef de volgende dag weinig van over toen vlak voor de les Engels Daphne zich naar hem omdraaide.

'O ja, Pimmetje, ik kan vanavond niet naar je verjaardagspartijtje komen, hoor.' Het klonk onverschillig, alsof ze het net had bedacht.

'O...'

Pim knipperde met zijn ogen, bukte zich naar zijn tas toen hij bij zijn oren de rode warmte voelde opkomen. *Verjaardagspartijtje...* harder had ze hem niet kunnen treffen. De les ging bijna geheel aan hem voorbij terwijl in zijn hoofd de scheldwoorden rondtolden, deels voor Daphne, deels voor zichzelf. Wat een sukkel was-ie met alleen dat stomme 'O', een gemeen pestwijf was ze... een... Een grote afgang zou het vanavond worden... Misschien kwam er wel niemand. Of twee of drie – en dat was eigenlijk nog veel erger. Die zouden de volgende dag op school vertellen wat een saaie boel het was geweest op het partijtje van Pimmetje. Zijn ogen begonnen te prikken. Hij boog zich diep over zijn boek.

Toen hij om half negen zijn moeder naar boven hoorde komen, zette hij de televisie aan.

'Ik wil best wat toastjes maken, maar...' Hij hoorde de aarzeling in haar stem. In kleermakerszit op het kussen op de grond zapte hij van kanaal naar kanaal zonder de beelden echt te zien.

'Weet je wel heel zeker dat je het goed hebt afgesproken met de klas?'

'Mam, misschien komen ze wel pas om tien uur, feestjes beginnen tegenwoordig niet meer om zeven uur.'

Verjaardagspartijtjes natuurlijk wel, klonk een treiterig stemmetje in zijn hoofd. Nijdig drukte hij op de toetsen van de afstandsbediening. Hij hoopte dat zijn stem nonchalant genoeg had geklonken. Zo had-ie in elk geval nog anderhalf uur de tijd om te bedenken hoe hij zijn gezicht kon redden.

'Ga jij nou maar naar beneden. We redden ons hier heus wel.'

We? Wij? Wij redden ons wel...? Noemde Dorland dat geen majesteitsmeervoud? Nou, als een koning voelde hij zich bepaald niet. Als-ie dat was, zat-ie hier nu niet alleen.

'Als je wat nodig hebt, roep je maar.'

'Ja, ja...'

Hij hoorde haar de trap aflopen. Op het scherm clipte Elvis Presley.

Met een schok zat hij rechtop, de afstandsbediening viel uit zijn hand. Was dat de bel beneden? De stem van zijn moeder die zijn naam riep. Met twee sprongen was hij bij de deur.

'Laat maar, mam, ik doe wel open!'

Halverwege de trap rende hij terug, raapte de afstandsbediening op en drukte het volume op volle sterkte. Was dit wel de goeie muziek? Geen tijd meer om wat anders te zoeken. Zesentwintig traptreden later zwaaide hij hijgend de buitendeur open.

'Hallo, ik ben een beetje laat, maar ik... de trein was...'

Agnes! Met grote ogen staarde hij haar aan. Agnes! Van boven dreunde de muziek door het huis.

'Mag ik... mag ik binnenkomen?'

'Ja... ja, kom binnen...'

Voor hij de deur sloot, kon hij het niet nalaten de laan in te kijken. Leeg. Stil. Niemand. Natuurlijk was Agnes alleen. Wie wilde nu samen met het stomste kind van de klas... Dat nu juist zij wel... En de anderen niet...

'Ik... we zitten boven.'

'Lekkere muziek. Elvis, is mijn moeder gek op. Is iedereen er al?'

Hij gaf geen antwoord toen hij voor haar uit de trap opliep. Zie je wel, stom om die muziek zo hard te zetten. *Are you lonesome tonight* – nu pas drong de tekst tot hem door.

In de deuropening bleef ze staan, draaide haar hoofd alle kanten op. Vanuit zijn ooghoeken zag Pim de verbazing op haar gezicht. Nu zou je het krijgen: waar was iedereen?

'Gezellige kamer zeg, en zo groot.'

Haar stem klonk helder boven de harde muziek uit. Ze stapte naar binnen, keek hem vragend aan, streek met beide handen enkele haren naar achteren. Toen raapte ze de afstandsbediening op en drukte de geluidssterkte terug.

'Rustig maar, Elvis... Toevallig zijn we niet lonesome tonight, nietwaar Pim?' Ze lachte naar hem.

Kijk haar niet zo stom aan, ze zegt Pim tegen je, zeg wat, eikel... doe wat... Maar er kwam niet meer dan een grijns op zijn gezicht.

Was dit dezelfde Agnes als op school? Agnes die altijd gepest werd en toch nooit kwaad werd? Agnes die in de klas nog minder serieus werd genomen dan hij? Waren het de lange haren die tot ver over haar schouders vielen...? Zo droeg ze het toch niet op school? Of had hij nog nooit goed naar haar gekeken? Was het de nauwe spijkerbroek, of het strakke truitje dat duidelijk liet zien wat ze te verbergen had?

'Ik heb nog wat voor je meegebracht. Schuif eens een beetje op.'

Ze kwam naast hem zitten op het kussen. Hij rook een prettige geur van zeep en shampoo.

'O, eh... dank je wel.'

Hij scheurde het pakje onhandig open en staarde verbaasd naar het muismatje.

'Hoe weet jij...?'

Ze kleurde. 'Vorig jaar heb je een spreekbeurt over je eigen computer gehouden. Kijk, je kunt hier een foto of een plaatje inschuiven. Grappig hè?'

Vorig jaar, in de brugklas. Dat had ze onthouden... Ze zag er niet alleen anders uit, ze was ook anders. Niet zo opgefokt en truttig als op school. Ze deed gewoon, veel aardiger dan... Ze had nog helemaal niet gevraagd waar de anderen waren. Het leek wel of ze het vanzelfsprekend vond dat ze de enige was. Voelde ze zich op haar gemak? Met haar armen om en haar neus op haar opgetrokken knieën wiegde ze mee op de muziek. Hoe had ze eigenlijk op zijn uitnodiging gereageerd? Hij wist het niet meer... Wel hoe de anderen... Niet aan denken nu. Met haar warme schouder tegen zijn arm voelde hij een aangename kriebel in zijn buik.

'Wil je wat drinken? Pak maar, er is genoeg... ik bedoel...'

Hij kon zich wel voor zijn kop slaan. Wat een stomme opmerking. Ze stond al bij de tafel, draaide één van de vele flessen open. Met in beide handen een beker cola kwam ze terug. 'Jij wil toch ook wel?'

Het gedimde licht van een spotje glansde in haar ogen.

Hij knikte, grinnikte. Goed dat zijn moeder dit niet zag. *Pim toch, wie is hier eigenlijk de gast?* Gek werd-ie af en toe van de goede manieren die ze hem bij wilde brengen.

'Mijn kamer is niet half zo groot.'

Dat had hij vaker gehoord. Wat kinderachtig eigenlijk dat hij ermee had willen opscheppen.

'Ik ben maar alleen met mijn moeder. Heb jij broers en zussen?'

'Een zus van zestien en een jonger broertje. Allebei even eigenwijs. Lijkt me heerlijk om alleen te zijn.'

Pim wist niet of hij het daarmee eens was. Maar ze gaf hem geen tijd om erover na te denken.

'Zullen we dansen? Mag ik wat kiezen?'

Agnes wachtte het antwoord niet af, zocht al in het stapeltje cd's dat hij had klaargelegd. Van hem mocht ze alles, als ze voorlopig maar niet wegging.

Ze trok hem overeind. Ze was een half hoofd kleiner en sloeg zonder aarzelen haar armen om hem heen. Hij keek hulpeloos naar het glanzende haar, zo dichtbij, zijn armen stijf langs zijn lichaam. Ze keek naar hem op.

'Zullen we dansen, Pim?' herhaalde ze zacht.

Voorzichtig raakten zijn handen haar schouders. Met een zucht legde ze haar hoofd tegen zijn T-shirt, warmte drong door tot zijn huid, haren kriebelden tegen zijn neus. Ze trok hem nog steviger tegen zich aan; hij voelde haar bovenbeen dat hem op een prettige manier dwong tot een eerste danspas achteruit. Toen liet hij zich wegdrijven op de rustig slepende muziek. *Geen toastjes... alsjeblieft geen toastjes brengen, mam...*

'Meneer.'

'Zeg het eens, Daphne.'

'Niemand in de klas heeft zijn huiswerk geleerd.'

Meneer Rozeboom legde het stapeltje repetitiepapier terug op zijn bureau en fronste zijn voorhoofd.

'Zo zo, en is daar een reden voor?'

'Pimmetje was deze week jarig en gisteravond zijn we allemaal op zijn feestje geweest... nietwaar, Pimmetje?'

Ze draaide zich om en keek hem uitdagend aan. Het werd heel stil in het lokaal. Pim bewoog niet, de vingers van zijn rechterhand klemden zich krampachtig om zijn pen. Hij perste zijn lippen op elkaar in een vergeefse poging de kleur op zijn gezicht tegen te houden.

'Is dat zo, Pim?'

Wat een brutaal kreng! *Feestje*, een ander woord, maar in haar mond klonk het net als gisteren. Met een knalrood hoofd keek Pim in het vragende gezicht van zijn docent. Niemand had vanmorgen wat gezegd, alleen Victor en Marco hadden iets gebromd over op het laatste moment niet kunnen. *Zeg nee, zet ze allemaal voor paal! Maar dan...*

'Nou Pim, komt er nog wat van? Moet je daar zo lang over nadenken?'

'Eh... ja, ja... het, eh... is waar.'

Daphne keek hem triomfantelijk aan. Ze krabbelde iets in haar schrift en liet dat aan Marloes naast haar zien. Die begon te lachen.

'Zo Pim, en was het een mooi feest?'

Hij staarde naar Agnes, een paar meter voor hem, vlak bij het bureau van Rozeboom. Ze bladerde in haar boek.

'Ik vond het heel leuk gisteravond,' had ze gefluisterd toen ze vanmorgen naast hem stond bij de kluisjes. Als een echte lafaard had hij niet gereageerd omdat Wouter en Jeffrey aan kwamen lopen.

'Ja, het was heel leuk gisteravond.' Langs Rozeboom heen bleef hij naar Agnes kijken. Zou ze het begrijpen? Ze draaide zich om, er speelde een glimlach op haar gezicht.

'Nou, dat gun ik je van harte, maar had je dat niet beter de vorige les kunnen melden? Ik vind het niet prettig dat jullie me zo voor het blok zetten. Enfin, schriftelijk overhoren heeft nu geen zin. Doen jullie je boek maar dicht. Jullie gaan straks in groepjes de eerste tekst van het nieuwe hoofdstuk met elkaar lezen en bespreken. Dat hoofdstuk gaat over criminaliteit in de Verenigde Staten. De titel van de tekst is...' Meneer Rozeboom liep naar het bord en schreef: *De Leugendetector.*

'Vertel eens, waar denk je dat deze tekst over gaat?'

Die avond, alleen op zijn kamer, kwamen de scheldwoorden. *Ze hebben je weer lekker te pakken gehad, kluns, sukkel, waarom heb je ze niet...?* Over het voorval was die dag niet meer gepraat. Alleen Victor had hem na de les op zijn schouder geslagen. 'Hartstikke sportief van je, Pimmetje.'

In de klas hadden ze nog wel gewoon tegen hem gedaan, maar buiten merkte hij dat, zodra hij een groepje naderde, het gesprek stokte.

'Stil, daar komt-ie,' had hij Stefan een keer duidelijk horen zeggen. Ze keken naar hem en ze lachten. Met een somber gezicht was hij de dag doorgesloft. *Natuurlijk, wie zou zich niet gek lachen om zo'n stom eitje... En Daphne, dat kreng... doodvallen kon ze... Maar dat durf je natuurlijk weer niet hardop te zeggen, Pimmetje.*

Hij hoorde zijn moeder roepen en deed de deur van zijn kamer open.

'Er is gebeld, Pim. Wil jij even opendoen? Ik ben aan de telefoon.'

Mopperend liep hij de twee trappen naar beneden, deed de buitendeur open. Hij kreeg een schok toen hij recht in het gezicht van Victor keek. Die draaide zich meteen om naar de groep achter hem, stak beide armen omhoog en schreeuwde: 'Allemaal tegelijk jongens, één, twee, drie...'

Het *Lang zal-ie leven in de gloria* daverde door de deftige, stille laan. Pim klemde de deurknop in zijn hand en keek verbijsterd naar de klas die onder leiding van dirigent Victor al was overgegaan op *Happy birthday, dear Pimmetje*. Was dit een nieuwe grap? Zijn ogen flitsten over de groep. Waar was...?

'Zou je ze niet eens binnen vragen, Pim?'

Hij keek om. Zijn moeder glimlachte naar hem. Wist zij...?

Voor ruim twintig mensen was de kamer toch wel een beetje krap. Sommigen hadden zich op de vloer genesteld, anderen bewogen ritmisch op de maat van de muziek die Pim meteen voluit had gezet. Zo hoefde hij tenminste niks te zeggen. Gaaf van Victor, die duidelijk de leiding had. Ze waren er allemaal... Allemaal, behalve Rachida en... en... Hadden ze haar er expres buiten gelaten? Het was fantastisch dat de hele klas er was, maar het was zíjn feest, daar hoorde zij ook bij. Hij voelde zich boos worden. En sterk. Hij liet zich niet nog een keer inpakken.

Zijn duim drukte het muziekvolume naar nul. Harde stemmen bleven in halve zinnen steken. Het werd stil. Verbaasd keken ze hem aan.

'Wat doe je nou, Pimmetje?'

'Agnes is er nog niet.'

Hij voelde het bloed naar zijn wangen stijgen. Zelfs in het gedimde licht moest dat zichtbaar zijn.

'Die trut kunnen we wel missen vanavond.'

Daphne! Zijn hart bonsde. Hoe had hij haar ooit aardig kunnen vinden? *Zet door, Pim, laat je niet kennen.* Hij balde zijn vuisten.

'Jij misschien, maar toevallig is dit mijn feest. Ik ga haar bellen.'

De afstandsbediening in zijn hand smoorde elk protest. Binnen twee seconden dreunde de muziek weer in alle hevigheid uit de luidsprekerboxen. Met een harde klap smeet hij de kamerdeur achter zich dicht.

Zittend op een traptree, boven zijn hoofd de harde muziek, de stemmen die onverstaanbaar waren – *hadden ze ruzie?* – toetste hij haar nummer in. Zijn handen trilden een beetje.

'Nee, ik kom niet.'

'Maar waarom niet?'

Ze gaf geen antwoord. Hij hoorde haar ademhaling, voelde haar net zo dichtbij als gisteravond.

'Ik vind het hartstikke aardig en eh... lief, dat je belt, Pim, maar...' Ze zweeg weer. Haar stem klonk zachter toen ze verderging. 'Je had gisteravond een fantastisch feest, Pim.'

Hij slikte. Daarom dus, daarom kwam ze niet.

'Maar ik wou... je kunt toch... wil je dan niet...?'

Het zweet stond op zijn voorhoofd. Hij haalde diep adem.

'Morgen is het zaterdag. Kom je dan morgenavond?'

Ze lachte zacht.

'Ja, graag. Tot morgen dan. Dag Pim.'

Hij voelde zich licht in zijn hoofd toen hij de trap opliep. Voor de deur van zijn kamer veegde hij het zweet van zijn voorhoofd. Hij glimlachte, trok zijn schouders naar achteren, haalde opnieuw diep adem. Toen greep hij de deurknop stevig vast. *Let op, eikels, hier komt Pim!*

Stefan

Wekenlang kon Stefan het niet van zich afzetten. Hoe was Dorland erachter gekomen? Had iemand zijn mond voorbij gepraat? Was er een verrader in de klas? Het plannetje was riskant geweest, dat wel, maar had-ie het niet heel goed overdacht en voorbereid? Hoe kon Dorretje dan...?

Zelfs 2a voelde zich altijd een beetje onzeker bij Dorland. Je wist nooit goed wat je wel en niet kon uithalen. Hij duldde geen tegenspraak. Wat hij wilde, gebeurde en kennelijk vond hij het vanzelfsprekend dat elke klas het daarmee eens was. Grapjes kende hij niet. Een geintje uithalen bij hem lukte nooit. De punaise op zijn stoel gooide hij zonder commentaar in de prullenbak. Allemaal per ongeluk boek vergeten? Toevallig had je het dan helemaal niet nodig tijdens de les. Hard werken en geen smoesjes. Als hij met zijn grote donkere ogen de klas inkeek, wist je al dat het prachtig verzonnen verhaal over het niet gemaakte huiswerk nooit vol te houden was.

Over één ding was iedereen het eens: lesgeven kon hij wel. Toen Stefan aan het begin van het jaar zijn rooster thuis liet zien, had broer Menno hem al gewaarschuwd: 'Dorretje is een eikel, maar je leert heel veel bij hem. Dat is het enige wat hem interesseert.'

Met problemen of weekendverhalen hoefde je bij hem niet aan te komen. Toch was de klas er snel achtergekomen dat zelfs Dorland voor een paar dingen de les wel wilde onderbreken: als hij in de gaten had dat iemand werd gepest, was de dader niet gelukkig. Nadat Daphne eens ongenadig sarcastisch door hem in de klas was aangepakt vanwege haar getreiter, liet iedereen – als hij in de buurt was – de eitjes wel met rust.

'Die sukkel is vroeger zelf gepest, zal wel een stuudje geweest zijn,' sneerde Daphne later, na de les en buiten op het plein.

En dan was er de schoolkrantpagina in *De Nieuwe Stadscourant.* Ook daarvoor wilde hij nog wel eens van het normale lesprogramma afwijken. Tussen oktober en mei vulde de school elke maand een hele pagina in de krant. De bijdragen werden geselecteerd door een kleine groep bovenbouwleerlingen samen met Dorland, die niets liever zag dan dat elke leerling gedichten en verhalen ging schrijven. En wie dacht met zijn schrijfproducten bij hem in een goed blaadje te kunnen komen kwam bedrogen uit. Dat had Stefan in oktober ondervonden: uitgeroepen tot *Dichter van de maand*, door Dorland in de klas een talent genoemd, voor de volgende dag geen huiswerk gemaakt – *Dorretje ziet mij wel zitten...* Wat-ie toen tijdens de les over zich heen had gekregen... Dat deed hij dus geen tweede keer.

'Waarom hebben we niet geprotesteerd tegen die twee proefwerken in één week? Het mag niet eens, maar Dorretje trekt zich daar natuurlijk geen barst van aan.' Marloes smeet haar rugzak met een nijdig gebaar tegen de muur van de school. 'Anderhalf uur heeft het me gisteravond gekost, persoonlijke voornaamwoorden, betrekkelijke, bezittelijke, onbepaalde, gek werd ik ervan.'

'Had dan je mond opengedaan. Was ook prettig voor ons geweest.'

'O ja, Stefan Verdonk? En wie is hier de klassenvertegenwoordiger? Nou?'

Stefan mompelde iets onverstaanbaars. Ze had gelijk. Maar al kreeg hij geld toe, naar Dorland gaan om te protesteren? Nooit!

'Ik snap niet dat we alles pikken van die man. Dat zouden we bij Witje nooit gedaan hebben.'

'Schei uit, Natascha. Softie Witje, die kon er helemaal niets van.'

'En Harley dan, daar durfden we ook niks.'

Het werd stil in de groep toen Carlijn die naam noemde. Het geschreeuw van krijgertje spelende brugklassers was duidelijk te horen. Stefan schudde zijn hoofd.

'Harley was heel anders. We durfden wel, maar wilden niet. En je vergeet dat Harley gewoon een aardige vent was.'

'Was, ja...' herhaalde Carlijn zacht. Even leken de proefwerken vergeten.

'Waarom gaan we niet naar Bosveld?'

'Geen slecht idee, Vic. Dat zal Stefan vast wel durven.'

Het klonk pesterig maar daar heette ze ook Daphne voor.

Stefan fronste zijn voorhoofd. Naar de mentrix gaan was geen probleem, maar klagen over een docent? En dan nog wel over Dorland? Maar in dit geval...

'Hij zit fout. Marloes heeft gelijk. Het mag niet. Oké, ik ga met haar praten.'

'Stefan Verdonk, wil je even hier komen?'

Shit... Met duidelijke tegenzin stond Stefan op. Voor de klas was nooit een prettige plek, en dan ook nog bij Dorland...

Met beide handen in zijn broekzakken leunde Stefan tegen het bord en probeerde zo onverschillig mogelijk te kijken. Dorland pakte twee stapeltjes beschreven proefwerkpapier uit zijn tas.

'Haal die handen eens uit je zak, kerel. Pak aan!'

Het klonk gemoedelijk, vriendelijk. Te vriendelijk?

'Zie je wat dat is?'

Verbaasd staarde Stefan naar de bundels papier.

'Onze proefwerken,' fluisterde Daphne, hard genoeg voor de klas en een vernietigende blik van Dorland. Nu herkende Stefan de beide proefwerken van de afgelopen week. Hij keek zijn docent aan en knikte aarzelend.

'Oké, welke is kop?'

Niet begrijpend keek Stefan hem opnieuw aan. Kop? Waar had die man het over?

'Kijk niet zo verwezen, kerel. Duidelijke vraag toch?'

Stefan haalde zijn schouders op en strekte zijn linkerarm.

'Mooi. Dan is die andere munt.'

Niemand snapte er wat van. Spanning... grote ogen... open monden... Ook Stefan keek niet al te intelligent naar het glinsterende geldstuk dat Dorland uit zijn zak haalde. Met duim en wijsvinger wipte hij het omhoog, ving het rond tuimelende muntstuk weer op waarna hij het geroutineerd met een klap op de rug van zijn hand legde.

'Zeg het maar, Stefan.'

'Munt.'

Dorland stak zijn hand uit. 'Geef maar.'

Hij pakte het stapeltje papier uit Stefans rechterhand en begon de blaadjes te verscheuren.

'Oh...' Marloes sloeg haar hand voor haar mond.

Dorland keek op, terwijl zijn handen doorgingen het papier in steeds kleinere stukjes te scheuren.

'Wat nou oh...?' Hij snauwde het bijna. 'Wie hebben er geklaagd dat twee proefwerken Nederlands in één week te veel was? Ik soms? En jullie zien: klagen helpt.'

Hij gooide de snippers in de prullenmand en trok het andere proefwerk uit Stefans vingers.

'Deze zal ik nakijken en beoordelen. Je kunt gaan zitten, Stefan. Neem hoofdstuk zeven in je boek voor je. De les begint.'

Buiten in de pauze hadden ze allemaal weer een grote mond. Pisnijdig was Stefan dat hij hem had laten kiezen, kennelijk omdat hij namens de klas was gaan klagen. Te gek voor woorden. De klassenvertegenwoordiger moest maar weer naar de mentrix, vond iedereen.

'Dat kan, maar dan zullen jullie toch eerst een nieuwe moeten kiezen. Ik ga niet nog een keer voor paal staan.'

En daarmee was dat voorstel van de baan.

'Heb je gezien welke hij verscheurd heeft?' Carlijn keek hem gespannen aan.

Stefan wist bijna zeker dat het dat van dinsdag was geweest.

'Shit! Dat had ik het beste gemaakt. Nu heb ik vast een onvoldoende. Dat betekent dus ook een slecht rapportcijfer.' Ze keek somber.

'Kom op jongens. Dit laten we toch niet op ons zitten! We moeten toch iets kunnen verzinnen?'

'Jij kan zo goed tekenen, Stefan. Maak een spotprent van hem. Die hangen we op het mededelingenbord in de hal en dan...'

'Wat bereiken we daar nou mee? Zeker wéér Dorretje over me heen krijgen.' Ongeduldig viel Stefan Valerie in de rede. *Je kan zo goed tekenen, Stefan...* Dat kind moest eens ophouden met haar geslijm. Iedereen wist zo langzamerhand wel dat ze verliefd op hem was.

'Als we hem nou eens om de beurt gaan bellen... op een avond. Wordt-ie gek van.'

'Soms heb je wel eens een goed idee, Pimmetje. Maar ik denk niet dat je hier een kusje mee verdient.'

'Ik hoef jouw kusjes helemaal niet.'

'Effe dimmen hè, Pimmetje... Je krijgt ze tegenwoordig zeker van Agnes.'

'Schei uit met dat kinderachtige gezeur. Bedenk liever een goed plan om Dorretje te pakken,' mopperde Stefan.

'Als Marloes nou eens alleen met hem in het lokaal blijft... na de les...'

'Hoe bedoel je dat?'

Wouter leek een beetje onzeker te worden van alle verwonderd vragende ogen.

'Nou, eh... dan kan ze later zeggen dat-ie... ik bedoel, eh... aan haar heeft...'

'Ben je helemaal belazerd, die viespeuk blijft van me af.'

'Maar, eh... je hoeft toch alleen maar later te zéggen datie...'

'Stomme hufter, weet je wel wat dat voor Marloes betekent? Doe het zelf, misschien is-ie wel homo.'

Wouter knipperde met zijn ogen. Zo'n felle aanval van Daphne, over zo'n gevoelig onderwerp, dat kwam hard aan.

'Nou ja, ik dacht alleen maar...'

'Nou, dat kun je dan maar beter even niet doen. Kom mee meiden, ze roepen ons wel weer als ze een echt idee hebben.'

Ze waren boos. Die dag werd er alleen nog maar ruzie gemaakt. Een goed plan kon niemand bedenken. Ook Stefan niet. Terwijl juist hij vond dat er echt iets moest gebeuren. Straal voor joker had-ie hem gezet...

'Hé dichtertje, als je nog wat in de schoolkrant wilt hebben dan zul je op moeten schieten. Volgende week dinsdag bespreken we wat geplaatst wordt. En je weet hoe enthousiast Dorland is over jouw gedichten.'

Menno zou het nooit toegeven, maar hij was er apetrots op dat hij als vwo-6-leerling in de redactie zat. Toch wel handig, vond Stefan, want zo kon hij vaak nog op het laatste moment iets inleveren. Aan gedichten schrijven was hij de afgelopen weken niet toegekomen. Meestal herinnerde Dorland hen aan de sluitingsdatum, maar die was nu natuurlijk kwaad op de klas. Had hij nog iets liggen dat goed genoeg was?

Stefan draaide de sleutel van zijn bureaula om – altijd op slot, er waren nu eenmaal gedichten die een ander niet hoefde te lezen – opende de map en toen was daar opeens het idee, helder en compleet alsof hij er al dagen over na had gedacht. Zo konden ze Dorretje pakken...

'De schoolkrant? Maar wat wil je daar dan mee?'

Op het schoolplein, met alle ogen op zich gericht, aarzelde Stefan. Was het wel zo'n goed plan?

'Nou gewoon, ik lever een gedicht in. Dat komt in de krant. Dorland schrijft daar altijd wat commentaar bij, waarom de gedichten uitgekozen zijn. Nou, en dan, eh...'

Hij zweeg. Carlijn trok een gezicht.

'Nee zeg, dat is duidelijk, hoor. Allemachtig, staat Dorretje even voor paal...'

'Niet als het mijn gedicht is, wel als het van een ander is.'

'Zeg nou eens wat je bedoelt, Stefan. Ik snap er geen barst van.' Victor zei het, de anderen vielen hem bij.

'Als ik een gedicht inlever dat van een, eh... zeg maar echte dichter is en hij heeft dat niet in de gaten dan, eh... gaat-ie af als een gieter.'

'En jij denkt dat-ie gek is. Dat merkt hij natuurlijk meteen. En dan kan jij wel inpakken.'

'Het is een gok, ja. Maar ik zoek wel iets van een niet al te bekende dichter. Hij zal toch niet elk gedicht uit zijn hoofd kennen? Als jullie je mond maar houden.'

'En als niemand nou wat in de gaten heeft? Hoe pakken we hem dan?'

'Als hij erin trapt en niemand reageert, dan schrijf ik met een verzonnen naam zelf een ingezonden brief naar de krant. Daar zet ik in dat ik het voor een docent Nederlands raar vind dat hij het gedicht niet heeft herkend.'

Jeffrey keek hem peinzend aan.

'Verdraaid Stefan, misschien is het wel een goed plan, maar kun je dat wel maken? Ik bedoel... is het niet strafbaar? Hoe noem je dat ook alweer?'

'Plagiaat.' Hij zei het achteloos, als een expert; zei niet hoelang hij thuis had moeten denken voor het woord hem te binnen schoot.

'Ze zetten natuurlijk nooit meer wat van jou in de schoolkrant. Is het niet beter dat een ander – ik bedoel, ik wil best...' Natascha draaide haar hoofd weg toen hij haar aankeek. Zijn hart begon te bonzen. Natascha... wat lief van haar... zou ze ook... net als hij op haar...? Hij dacht aan de gedichten onder in zijn bureaula, gedichten die hij nooit naar de schoolkrant zou sturen, gedichten die niemand mocht lezen.

'Als Stefan een goed gedicht inlevert, valt dat natuurlijk minder op dan als wij dat doen.'

Hij hoorde nauwelijks wat Victor zei. Het plan moest doorgaan, door Natascha's opmerking was het extra aantrekkelijk geworden. Stefan haalde zijn schouders op.

'Geen gezanik. We doen het gewoon. Ik heb de schoolkrant niet nodig om een beroemd dichter te worden.'

Gelach. Discussie gesloten.

'Ik vind dat we nog maar geen nieuwe klassenvertegenwoordiger moeten kiezen.' Daphne had zo haar eigen manier om een plan goed te keuren.

'Je bent alweer in de prijzen gevallen, broertje. En het had niet veel gescheeld of je was weer *Dichter van de maand* geworden.'

Menno stak zijn hoofd om de kamerdeur. Klonk er bewondering in zijn stem? De hele dag had Stefan in spanning gezeten en was de twijfel gegroeid. Was het niet hartstikke stom? Wie verzon er nou zoiets? Het was natuurlijk veel beter als ze zijn gedicht – dat niet van hem was – niet zouden kiezen. Dan ging het de prullenbak van de redactie in en konden ze een nieuw plan bedenken. Maar de mededeling van Menno betekende dat er geen weg terug was.

'Dorretje liet duidelijk merken dat hij onder de indruk was. Als het aan hem had gelegen was je weer nummer één geworden. Maar wij zijn er ook nog.' Menno grijnsde. 'Ik moet er voor zorgen dat mijn broertje niet te veel verbeelding krijgt. Nou, wat zit je stom te kijken. Een beetje enthousiaster mag ook wel.'

Dat lukte in elk geval de volgende dag op school beter. De bewonderende glansogen van Natascha waren goed voor een paar mooie nieuwe dichtregels. Voor diep onder in zijn bureaula.

Twee dagen later zei Dorland dat hij de les wilde beginnen met het voorlezen van een gedicht. Het werd onmiddellijk doodstil in de klas. Gespannen keek Stefan naar de man achter het bureau. Wat had hij voor zich liggen? Een tas en een stapel boeken belemmerden het zicht. Had het iets te maken met zijn gedicht? Of was het toeval? Hij deed dit immers wel vaker. Al na de eerste regel begon zijn hart sneller te kloppen.

'Ochtend

Op laatste dromen
glijd ik uit de nacht
nog ligfietsend op kalme zee
strek ik het verkeerde been'

Strak staarde Stefan naar het lege schoolbord. Wat betekende dit? Had Dorretje het toch in de gaten gekregen? Of wilde hij het gewoon in de klas laten horen? Zou hij hem weer een talent noemen?

'Jullie begrijpen natuurlijk allemaal wel van wie dit gedicht is.'

Over de halve bril keken zijn ogen de klas in. Zijn stem klonk neutraal, alsof hij gewoon aan het lesgeven was. Toen stond hij op; in zijn handen herkende Stefan de bundel waaruit hij het gedicht had overgeschreven. Driedubbel overgehaalde shit... hij had het door. Nu zou je het krijgen...

'Dichters zijn boodschappers. Daar hebben we het onlangs in de les nog over gehad. Jullie boodschap is duidelijk, hoewel ik de gekozen methode wel wat omslachtig vind.'

Stefan steunde zijn hoofd in zijn gebalde vuisten. Hij wist het! Hij wist alles! *Jullie boodschap...* Hij had het tegen de hele klas. Hij keek niet eens naar hem. Maar hoe? Wie had...?

'Waarmee ik maar wil zeggen dat mijn oplossing van jullie proefwerkprobleem niet de fraaiste was. Wie vorige week een onvoldoende had, kan het volgende week inhalen...'

Dit was ongelofelijk. Dorretje die toegaf dat hij een fout gemaakt had. Dorretje die ongelijk bekende, al deed hij dat met zijn bekende wat-ik-wil-gebeurt-stem. Maar hoe kon hij nou weten...?

'En van jou, Stefan Verdonk – van jóú dus – verwacht ik morgenochtend een buitengewoon goed gedicht, een gedicht dat zonder meer geschikt is voor de schoolkrant. Dat is kort dag, maar desnoods werk je vannacht door. Is minder ongezond dan het lijkt...'

Het was nog steeds akelig stil in de klas. Naast boosheid op de verrader voelde Stefan opluchting.

'En tenslotte kunnen we twee dingen doen: er nog lang over zeuren – *Wie heeft dit?* en *Hoe heeft hij dat?* – of het simpel vergeten en er geen woorden meer aan vuil maken.'

Hij stak zijn hand in zijn broekzak. Toen hij even later tussen duim en wijsvinger een glimmend muntje omhoog stak, glimlachte hij.

'Ik heb helaas niet zoveel fantasie als jullie. Ik ken maar één methode. Kop is zeuren, munt is vergeten. Akkoord?'

Zijn ogen dwaalden rustig over de leerlingen. Niemand reageerde. De klas leek onder hypnose. Toen bleef zijn blik op Stefan rusten.

'Akkoord, 2a?'

Even knipperde Stefan met zijn ogen. Langzaam draaiden alle hoofden in zijn richting. Zonder zijn hoofd van zijn vuisten te halen knikte hij. De euro tolde door de lucht. Munt!

'Neem bladzijde negentig maar voor je. De les begint...'

Victor

'Jeffrey Erkelens zeven, Marloes Hooimeyer acht, Marco Klijnman zeven, Natascha van der Linden acht, Victor Schipper vijf, Stefan...'

Shit, toch een vijf, naar beneden afgerond. Victor fronste zijn wenkbrauwen terwijl meneer Veringa, de docent Engels, zonder commentaar de rapportcijfers voorlas. Hij had het kunnen weten: vijf komma vijf stond hij gemiddeld. Dat werd bijna altijd een vijf – maar soms een zes – en dus had Victor stilletjes gehoopt dat Big Ben er een voldoende van zou maken. Niet dus. Hij voelde een por in zijn rug.

'Pech,' bromde Marco, die het probleem kende. Met een nijdige kras zette Victor de onvoldoende in zijn agenda, de enige op zijn rapport, maar wel één die alles verpestte.

'Als je bij het volgende rapport alle onvoldoendes hebt weggewerkt, krijg je tweehonderdvijftig euro.' Opa Schipper was de beste opa die je je kon wensen. Toen twee jaar geleden Victors vader was overleden was de vriendschap met opa alleen maar groter geworden. Altijd belangstelling, altijd tijd, altijd klaarstaan om te helpen, samen klussen, samen tuinieren, samen vissen.

'Dat moet u niet doen, vader,' had zijn moeder hoofdschuddend gezegd. 'Dat is een beloning voor slecht werken, want Vic heeft er gewoon met zijn pet naar gegooid.'

Maar Victor was al aan het rekenen geslagen: vijf onvoldoendes, dat betekende vijftig euro per opgehaald cijfer. Te gek gaaf...

'Ho ho jongetje,' temperde opa zijn enthousiasme, 'ik zei *alle* onvoldoendes. Het is tweehonderdvijftig euro of niks. En reken erop dat ik streng ben.'

Hij zei het lachend, met een knipoog, maar Victor wist

uit ervaring dat hij het meende. Met hetzelfde lachende gezicht zou hij nu over een paar dagen kunnen zeggen: 'Pech jochie, dat geld houd ik in mijn zak, zullen we gaan vissen?'

Bijna was het gelukt. Hij had er niet eens zoveel moeite voor hoeven doen. Mamma had gelijk: hij kon goed leren. Alleen dat totaal verprutste proefwerk bij Engels deed hem de das om. Had Veringa nou niet voor één keer... Zou hij na de les proberen met hem te praten?

'Zo, dat waren de cijfers, die jullie natuurlijk zelf ook al uitgerekend hadden. Iemand nog iets te vragen?'

'Ja, ik, meneer.'

'Marco?'

'Niemand heeft een onvoldoende, behalve Victor, meneer.'

Verdraaid, dat was hem niet eens opgevallen. Stom van Marco om dat zo hardop in de klas te zeggen.

'Je hebt goed opgelet, Marco, dat gebeurt niet elke dag. Maar wat bedoel je daarmee?'

'Nou, eh... kunt u niet voor een keer naar boven afronden? Vic heeft gemiddeld een vijf komma vijf, dat zou dus ook...'

'Zou kunnen, ja. Heb ik ook wel overwogen. Maar... sorry Victor, op het vorige rapport stond een vijf die eigenlijk een vier komma zeven was. Een zes vind ik nu echt niet verantwoord.'

'Toe meneer, dan zijn we een week lang heel lief voor u.'

Daphne natuurlijk weer. Victor voelde zich ongemakkelijk worden nu meer klasgenoten zich met het probleem gingen bemoeien. Daphne durfde wel: zo duidelijk zinspelen op het feit dat ze af en toe knap lastig waren voor Big Ben.

Er vonkte iets in Veringa's ogen.

'Eén week maar, Daphne?'

'Twee dan... of drie...?'

Het klonk verleidelijk zoals alleen Daphne dat kon.

'Leuk geprobeerd, Daphne, maar met cijfers gaan we niet sjoemelen. Ik geef toe, het was prachtig geweest, allemaal voldoende, maar het is nu eenmaal niet anders. Verwacht je nog meer onvoldoendes op je rapport, Victor?'

Victor schudde zijn hoofd.

'Nou, kijk eens aan. Doe maar goed je best, dan komt het de volgende keer wel goed.'

Schrale troost, hij moest die zes nú hebben. Maar hoe? Praten na de les had geen zin meer. Was er nog een andere oplossing? Vast niet. Over tien dagen was de rapportuitreiking. En opa zou streng zijn...

'Als we je rapport nou eens bij mij thuis scannen.'

Buiten op het plein keek Victor zijn vriend Marco niet begrijpend aan. 'Scannen?'

'Ja, en daarna veranderen we de vijf in een zes en printen het weer uit. Dan heb je dus...'

Victor schudde zijn hoofd.

'Gebeurt niet! Mijn opa belazeren? Never! Bovendien komt het toch een keer uit. Nee, als Big Ben niet is over te halen, dan ben ik die tweehonderdvijftig euro gewoon kwijt.'

Hij probeerde zijn stem onverschillig te laten klinken. Dat lukte niet helemaal. Geen wonder, hoe vaak had hij het geld al niet in gedachten uitgegeven? Een nieuwe printer, een eigen scanner, een betere werphengel, rollerskates...

Later op de dag kwam er nog een probleem bij: fiets weg.

'Hoe kan dat nou? Ik heb hem hier buiten tegen de muur gezet.'

'Op slot?'

Marco liep met hem mee de fietsenstalling in. Misschien had iemand hem binnen gezet.

'Nee, ik was bijna te laat vanmorgen. Bullshit! Wat een rotdag vandaag.'

Hoe moest-ie dat nou weer thuis aan zijn moeder vertellen?

Met een somber gezicht meldde hij zich enkele minuten later bij de conciërge.

'Fiets gestolen, meneer.'

'Zo, en waar is je sleuteltje?'

Victor haalde het uit zijn broekzak.

'Heel slim van je, Victor Schipper, om ook het reservesleuteltje bij je te hebben, maar daar trappen we niet in.' Meneer Akkermans grinnikte. 'Ik heb je wel gezien toen je vanmorgen je fiets tegen de muur smeet. Tjonge, wat had jij een haast zeg.'

Verdraaid, die man had ook alles door.

'Heb je al bij de dependance gekeken?'

Dependance? Victor trok zijn wenkbrauwen op.

'Het gebeurt wel vaker dat een zogenaamd gestolen fiets daar gevonden wordt. Iemand die haast had en dankbaar gebruik heeft gemaakt van domme jongens die hun fiets niet op slot zetten. Overigens – mocht je de dader te pakken krijgen, dan wil ik dat graag weten. Ik word dat gezeur zat.'

Victor draaide zich om en wilde weglopen. Er was nog hoop.

'Ho ho, wacht even. Je wilt toch niet nu gaan kijken, hè? De pauze is bijna voorbij.'

'Ja maar, dan is misschien...'

'Niks ja maar. Je gaat nu naar de les. Naar die fiets zoek je maar in je vrije tijd.'

Maar zoeken hoefde niet meer. Toen Victor om drie uur met Marco de school uitliep, stond tot zijn verbazing de fiets weer op de plek waar hij hem 's ochtends had neergesmeten. Nu echter netjes op de standaard en... op slot.

'Dat is brutaal. Wie zou dat geflikt hebben?'

'Misschien heeft Akkermans wel gelijk: iemand die haast had.'

'Oké, maar waar is het sleuteltje dan?'

Daar wist Marco ook geen antwoord op.

Samen fietsten ze naar huis. Gelukkig, die fiets was er

weer. Dat scheelde een hoop ellende thuis. Maar wie had het andere sleuteltje? Een nieuw slot kopen? Opa wilde in het weekend vast wel helpen om het te vervangen. Zou hij dan meteen maar van die onvoldoende vertellen? Er was toch niks meer aan te doen. En een ander slot? Dat deed hij toch maar niet – zonde van het geld.

Maar daar had hij twee dagen later spijt van: weer zijn fiets verdwenen. Nu had-ie wel op slot gestaan. Dit was geen toeval meer. Iemand gebruikte zijn fiets en hij moest weten wie.

'Ik ga bij het andere gebouw kijken.'

'Ben je gek, joh. Over een paar minuten begint de les. Dat haal je niet meer,' waarschuwde Marco.

'Kan me geen barst schelen. Ik wil eerst mijn fiets terug. Wie hem gepakt heeft, is nog niet jarig. Zeg maar niks tegen Rozeboom. Ik verzin zelf wel een smoes.'

Victor rende het schoolplein af. Het was maar een paar straten... dat moest in enkele minuten lukken. Hondsbrutaal, zou wel zo'n gymnasiumbal zijn, die dachten allemaal dat ze meer waren dan de rest van de school. En dan ook nog het sleuteltje houden... Hoe meer hij erover nadacht des te nijdiger werd-ie.

Het was leeg en stil op het plein bij het kleine gebouw. De bel was gegaan, de les begonnen. Een auto stopte op de parkeerplaats. Vier docenten stapten uit en liepen haastig de school in. Te laat... Dat moest hij eens proberen! Of – wacht eens even, waren er vandaag en morgen geen rapportenvergaderingen? Shit, even niet aan die vijf denken, zijn fiets, daar ging het nu om.

De fietsenrekken stonden vol. Dat zou nog een heel gezoek worden. Hij kon maar beter beginnen met de fietsen tegen de schoolmuur.

Het kostte hem nog geen minuut om zijn fiets te vinden: opnieuw keurig op de standaard en op slot. Niet te geloven... als hij die bal gehakt in zijn vingers kreeg! Hij stak het reservesleuteltje in het slot. Toen bedacht hij zich. Natuurlijk: laten staan dat ding en wachten, gewoon wachten tot die sukkel hem weer zou pakken. Dat kon nog wel het hele lesuur duren. En daar ging Rozeboom natuurlijk moeilijk over doen. Nou ja... hij had in ieder geval nog veertig minuten om iets te bedenken.

Opgelucht dat zijn fiets terecht was, zocht Victor een plekje onder het golfplaten afdak van de fietsenstalling. Hier kon hij zijn fiets in de gaten houden zonder vanuit de school gezien te worden, maar toch zo dichtbij dat hij de dief binnen enkele seconden zou kunnen grijpen. Hij zette de capuchon van zijn jack op. Het tochtte hier. Spijbelen was ook niet alles...

De deur ging open, enkele docenten kwamen naar buiten. Victor herkende Veringa en Dorland. Ze bleven nog even praten. Kijk eens wat een plezier de heren hadden: zeker weer een hoop onvoldoendes uitgedeeld en lekker cijfers naar beneden afgerond... Hij keek op zijn horloge: nog tien minuten. Toen verstarde hij. Nee... dat kon niet waar zijn. Dorretje liep naar de parkeerplaats en wat deed Big Ben nou bij zíjn fiets, met een fietssleuteltje in zijn hand...?

Victor sprong op. Binnen enkele ogenblikken stond hij achter de torenlange docent die zittend op het zadel nog moeiteloos met beide voeten bij de grond kwam. Hij draaide het stuur en keek om.

'Hé, Victor! Moet je ook naar het hoofdgebouw? Spring maar achterop joh, dan kom je niet te laat.'

Victors mond viel open. Big Ben wachtte zijn antwoord niet af, maakte al – met zijn voeten steppend over de grond – vaart. Victor holde achter hem aan en schoof op de bagagedrager. Dit was te gek: zat-ie achterop zijn eigen fiets bij Big Ben... hoe moest hij die nou...? Hij kon toch moeilijk zijn docent... Toen begon hij te grinniken.

'Lekker fietsje, hè meneer?'

'Ja, maar met jou achterop loopt-ie een beetje zwaar.'

Verdraaid, hoe moest dat nou verder? Geen gymnasiumbal, maar Veringa. Marco zou het niet eens geloven. Hoe kreeg hij dat sleuteltje weer terug? Schelden? Klagen bij de mentrix? Dan kon hij een voldoende voor Engels wel helemaal vergeten. Zou hij...? Hij staarde strak naar de blauwe jeansrug vlak voor zijn ogen. Durfde hij dat? Nee, dat was te gek...

'Zo kerel, zo'n taxi krijg je niet elke dag.'

Met zijn voet drukte meneer Veringa de standaard naar beneden en zette de fiets precies op het plekje waar Victor hem die ochtend had achtergelaten. Toen liep hij naar de deur.

'Meneer, eh... u vergeet uw fiets op slot te zetten.'

Veringa stond stil, hand aan de deurknop, draaide zijn hoofd om en keek Victor aan. Toen haalde hij zijn schouders op.

'Niet nodig. Hier op het plein worden toch geen fietsen gestolen?'

'Dan zet ik 'm zelf maar op slot...'

Victor boog zich over zijn fiets. Met kloppend hart zag hij onder zijn armen door Big Ben terugkomen.

'Wil jij me vertellen dat die fiets van jou is?'

Victor richtte zich op, knikte.

'Tja, dan heb ik natuurlijk een probleem.' Het klonk aarzelend, bijna verlegen. 'Weet je, ik had eergisteren onverwacht een invalles in het andere gebouw. Ik had haast en zag een fiets staan... niet op slot. Later heb ik, zonder erbij na te denken het sleuteltje in mijn zak gestopt. Vanmorgen vond ik het weer en, eh... toen ik al vijf minuten te laat was voor de rapportenvergadering en dezelfde fiets zag staan, dacht ik... Onvergeeflijk Victor, dat begrijp ik. Zeg maar hoe ik dat weer goed kan maken. Verzin eens een goeie straf voor een domme leraar... Overigens, hoe wist jij dat je fiets bij de dependance stond?'

Victor moest zijn hoofd ver naar achteren buigen om Veringa aan te kijken. Hij haalde diep adem.

'De conciërge zei dat ik daar maar eens moest gaan kijken. Hij zei dat het wel vaker gebeurt. Hij wilde ook graag de naam van de dader... als ik die wist. Die, eh... kan ik hem nu natuurlijk vertellen. Behalve...'

Hij zweeg... Dit kon helemaal niet... gek was-ie om zoiets te bedenken.

'Behalve...?'

Met de vragende ogen van Big Ben op zich gericht haalde Victor nog een keer diep adem.

'Behalve als... als u van die vijf een zes maakt.'

Verbazing, opgetrokken wenkbrauwen – toen zag Victor iets glinsteren in de ogen van zijn docent.

'This is blackmail, my boy.' Hij kneep zijn ogen half dicht. 'Dat cijfer is kennelijk heel belangrijk voor je. Ik zal er nog eens over nadenken. Je bent een boef, maar wel een hele slimme.'

Hij glimlachte, deed enkele passen naar de deur, draaide zich toen om.

'Had jij het afgelopen uur geen les of... heb je soms vrij genomen?'

'Nee, eh... ja, ik bedoel... ik heb...'

'Ja ja, jongetje, ik begrijp het al.'

Hij kwam terug, boog zich voorover. Zijn stem klonk zacht.

'Als ik nou een goed woordje voor je doe vanwege dat spijbelen, dan staan we weer quitte, nietwaar Victor Schipper?'

Meende Big Ben dat nou? Of was er toch weer die glinstering in zijn ogen?

'This is blackmail, sir.'

De daverende lach van Veringa schalde over het plein. Victor kromp in elkaar van de dreun op zijn schouder.

'You win, Skipper!'

Lachend verdween Veringa naar binnen. Op hetzelfde moment ging de bel.

'Hé Vic, wat moest Big Ben van jou?' Achter hem op de trap probeerde Marco zich door de massa leerlingen heen te dringen.

'Hoe weet jij dat ik...?'

'Ik hoorde hem net tegen Rozeboom zeggen, dat je geoorloofd afwezig was de afgelopen les. Jullie moesten iets bespreken. Ging dat over je cijfer?'

Tof van Big Ben. Die zou van hem nooit meer last hebben in de les.

'Ja, dat ging over mijn cijfer.'

'En? Is het gelukt?'

Was het gelukt? *You win, Skipper* – dat kon toch maar één ding betekenen? Victor glimlachte.

'Ja, het is gelukt.'

Natascha

'Ik doe mee met de actie, meneer. U moet mij ontzien.'

'Moet... moet... Wilt u mij alstublieft ontzien, zul je bedoelen.'

Natascha trok een gezicht. Zeurzak die Kamminga. Ze haalde haar schouders op.

'U heeft het toch zelf kunnen lezen in de *Info*.'

'Precies, daarin stond dat we vriendelijk verzocht werden de leerlingen die meededen enigszins te ontzien.... énigszins – hoor je dat? Klinkt wel anders, vind je niet? *Zip your lip...* een dagje niet eten. Prima actie. Alle waardering, maar je moet me niet de indruk geven de situatie te willen uitbuiten. Dit is het eerste lesuur. Hoe laat heb je vanochtend ontbeten?'

Natascha zuchtte. Bla-bla-bla. Die man genoot gewoon van zijn eigen gemekker. Ze kon wel raden waar dit heenging.

'Om kwart over zeven.'

Normaal ontbeet ze nooit. Wat een moeite had het gekost om het brood en de yoghurt met muesli door haar keel te krijgen. Om nog maar te zwijgen van de twee extra boterhammen die ze om vijf voor acht bijna kotsend naar binnen had gewerkt.

'Het is nu half negen. Je kunt onmogelijk al last hebben van die vastenactie. Trouwens, je hebt gisteravond nog met een volle maag over opdracht vijf nagedacht. Laat het resultaat maar eens horen, jongedame.'

Bijna de hele klas deed mee. En bijna de hele klas had hard gelachen toen ze het deelnameformulier had ingeleverd.

'Dat lukt jou voor geen meter.'

'Hoe houd je zo lang je kaakspieren in vorm?'

'Weet je dat kauwen op je balpen ook verboden is?'

En thuis, pappa...

'Vasten voor een goed doel? Landelijke actie? Besef je wel hoe lang vierentwintig uur is?'

Alsof ze daar zelf niet over had nagedacht. Niemand wist beter dan zij hoe moeilijk ze het zou krijgen. Grazer, vreetbeest, herkauwer... Als ze voor de spiegel stond, kwamen de scheldwoorden vanzelf. Voor tienen lukte het nog wel maar vanaf de kleine pauze kon ze geen half uur van de chips, de repen en de zoete drop afblijven. *Ze zeggen dat je van drop onvruchtbaar wordt... en ik wil nog wel zo graag een keer opa worden...* Zolang ze van al die zoetigheid geen dikke pad werd, zou ze de pesterige opmerkingen van haar vader niet serieus nemen.

'Teken jij die brief nou maar, pap. Hoe ik die vierentwintig uur doorkom, is mijn zaak.'

Belachelijk dat je toestemming nodig had. Alsof ze kleuters waren. Water, melk, vieze sapjes, daar zou ze de hele dag op moeten leven, maar... meedoen moest. Eindelijk zou ze de durf hebben om op het podium te staan: de talentenjacht 's avonds was alleen voor deelnemers aan de actie. De show stelen, haar zelfgeschreven songs zingen, de klas – de halve school in de grote aula. Stefan... zou hij haar eindelijk zien staan? Of zou hij toch met Valerie...? Dié liet duidelijk merken dat ze verliefd was, zíj droomde alleen maar van hem. Nou ja, Lisanne wist het maar die hield haar mond wel. Desnoods haakte ze aan het eind van het optreden af. Als ze de avond maar haalde. Hoewel... een nacht op school slapen was natuurlijk wel gaaf.

'Lekker dropje, Natascha? Je mag ook best de helft van mijn Mars, hoor.'

Natascha duwde Wouter opzij. Flauwe etterkop! Te beroerd om zelf mee te doen. Half één, eetpauze... eetpauze? Nog bijna twintig uur. Hoe hield ze dat vol? Als ze nu naar het toilet ging, kon ze stiekem één van die twee Bounty's uit haar tas... *Kom op, trut!* Ze schudde de gedachte van zich af, slofte een van de lokalen in die speciaal voor de groep waren ingericht. Zo konden ze de verleiding en de geur van warme gehaktballen en saucijzenbroodjes in de kantine ontlopen.

Lisanne stond druk te doen bij een tafel, wenkte, riep. Had die meid nergens last van?

'Hé Tasch, kom op! Heerlijk driegangen drinkmenuutje: koud karnemelkje vooraf, hoofdgerecht warme, geklopte schuimmelk en een fris sapje toe.'

Warme melk... ze werd misselijk. Draaierig greep ze zich vast aan de tafel. Een hand op haar schouder.

'Gaat het goed met jou, Natascha?'

De stem van Bosveld achter haar.

'Heb jij wel genoeg gedronken de afgelopen uren?'

Natascha slikte.

'Ik word misselijk van al die sapjes, melk en...'

En van de zenuwen voor vanavond, maar dat hoefde Bosveld niet te weten.

'Jij gaat hier zitten en je komt niet van je plek voor ik terug ben.'

Enkele minuten later zette mevrouw Bosveld een dampende beker voor haar neer.

'Alsjeblieft. Warme kruidenbouillon. En nou niet meer eigenwijs zijn. Ik houd je in de gaten, meisje. Drinken... anders red je het niet. Je wilde toch ook optreden vanavond?'

Ze knikte. De bouillon rook goed. De beker trilde in haar handen toen ze voorzichtig een slokje nam. Lekker, ze knapte ervan op.

Lisanne sloeg een arm om haar heen.

'Ik sleep je er wel doorheen, Tasch.' En fluisterend: 'Het gaat vast hartstikke goed vanavond.'

Die meid begreep ook alles.

'How can I make the dream I dream come true?
How can I make you feel my love for you?'

Gebogen over haar gitaar liet Natascha het laatste onopgeloste akkoord doorklinken. Snaar voor snaar herhaalde ze het... langzaam en nadrukkelijk... en nog een keer... Als een vraagteken bleef het in de doodstille zaal hangen. Ze legde haar hand op de snaren en keek de zaal in. Toen barstte het applaus los. Geschreeuw, gefluit... Nerveus lachend stond ze op, boog en zwaaide naar het publiek. Het was gelukt... Het laatste optreden van de avond en zo'n applaus had niemand gekregen. 'We want more, we want more...'

Omringd door klasgenoten liet ze de bewondering over zich heen komen. Was er meer dan gewone belangstelling in Stefans blik? *How can I make the dream I dream come true?*

'Wat goed, zeg. Heb je dat echt zelf geschreven?'

'Je wint, Tasch, dat zul je zien.'

De stemmen gonsden om haar heen.

'Stom slijmliedje. Stefans verhaal... dát vond ik goed!'

Valerie tegen Daphne maar bedoeld voor haar? Niet reageren. Ze liet de avond niet door die meid verpesten.

Met z'n twintigen zaten ze in een kring op de opgevouwen slaapzakken in het schemerdonkere lokaal. Op de vloer in het midden brandden enkele dikke kaarsen. Natascha nipte voorzichtig van de hete bouillon. Die hielp nog het beste tegen het draaierige gevoel in maag en hoofd, maar smaakte lang niet meer zo lekker als vanmorgen.

'We hebben nog een uurtje.'

Mevrouw Bosveld begon te lachen toen er protesten klonken.

'Dit is geen werkweek. Het draaiboek is streng: verplicht slapen tussen twaalf en zeven uur. De school waakt over jullie gezondheid. De jongens gaan straks met hun spullen naar beneden, lokaal 015, de meiden blijven hier. Zelf slaap ik in het bibliotheeklokaal aan de overkant van de gang.'

'Lijkt hier wel een internaat,' mopperde Daphne.

'Klopt, daar slapen de bokken en de geiten ook netjes gescheiden. Nou geen gepruttel meer, ik wil jullie een verhaal voorlezen over een leeftijdgenoot in één van de armste landen van Afrika.'

'Hè ja, verhaaltje voor het slapen gaan!'

Een flinke elleboogstoot van Jeffrey legde Daphne zowaar het zwijgen op. 'Hou jij nou eens effe je kop!'

Natascha zette de nog halfvolle beker op de grond en sloeg haar armen om haar knieën. Achter het flakkerende licht van de kaarsen zag ze aan de overkant Stefan zitten... links van hem Valerie, rechts Victor. Waarom was ze altijd zo bedeesd als het om jongens ging? Waarom was ze niet naast hem gaan zitten toen het nog kon? Ze sloot haar ogen. De stem van Bosveld kreeg haar te pakken. Ze vergat het vervelende gevoel in haar maag.

Niemand verroerde zich toen mevrouw Bosveld het verhaal in haar tas stopte. Enkele ogenblikken bleef het stil. Luid toeterend raasde een bromfiets door de straat. In de lucht klonk het zware verre gebrom van een vliegtuig. Het kaarslicht toverde reusachtige dansende schaduwen op de muren en de dichtgeschoven gordijnen.

'Gaaf, juf,' zuchtte Lisanne.

'Vond ik ook, ja. We hoeven er denk ik niet meer over te praten hoe nodig het sponsorgeld is dat jullie bij elkaar brengen. En... hoe vonden jullie het vandaag? Jeffrey?'

'Berestrak, juf, maar het mooiste komt nog. Lekker uitslapen morgenochtend.'

'Uitslapen?'

'Ja, mijn broer moet de krantenwijk doen.'

Gelach. Jeffrey wreef tevreden zijn handen. Mevrouw Bosveld stond op.

'Is ook wel erg moeilijk hè, om zo lang serieus te blijven. Ik kom nog even langs met drinken. Misschien heeft Stefan nog een verhaal?'

'Eh... nee juf. Ik had alleen dat ene bij me voor de talentenjacht.'

'Een gedicht dan. Mag best van een ander zijn, hoor.'

Gegrinnik.

'Mag u niet meer over praten, juf. Van Dorland,' riep Victor.

'Praten wel, zeuren niet.'

'Misschien kan Tasch nog wat zingen...'

Stefan! En hij zei *Tasch.* Ze drukte haar kin op haar gebogen knieën. Haar hart klopte sneller. Ze voelde de warmte langs haar oren omhoog kruipen.

'Goed idee. Maar je moet het zelf echt willen hoor, Natascha. Geef je beker eens aan. Cola of vruchtensap? Zal ik die bouillon maar weggooien? Die is koud.'

'Eh... ja... cola graag.'

Willen? Nee, maar als Stefan het vroeg...

'Ik pak je gitaar wel.' Lisanne sprong op. Waar haalde die toch alle energie vandaan?

Met het instrument tegen haar lichaam gedrukt voelde ze zich rustiger worden. Een chanson? Durfde ze dat met haar docent Frans in de buurt? Maar ze waren wel erg mooi. Ze sloeg enkele akkoorden aan. Eerst aarzelend, toen met vastere stem begon ze. Ze deed geen enkele poging iemand te imiteren. Wees jezelf! Een steeds terugkerende boodschap van haar muziekdocent. Ze hoefde over een tweede en derde nummer niet na te denken. Ze ving de aandachtige ogen van Stefan aan de overkant. Verdwenen was het slappe gevoel in haar lichaam.

'Nog één, Natascha. Wil je je eigen song niet nog een keer zingen? Mooi slot van de avond.'

Ze gaf Bosveld geen antwoord, boog zich diep over de snaren. Durfde ze hem deze keer aan te kijken? In de minuten die volgden klonk drie keer het refrein, keek ze drie keer recht in Stefans ogen. *How can I make you feel my love for you?* Na het laatste akkoord klonk naast haar een zucht. Lisanne legde een hand op haar schouder. 'Zo mooi, Tasch,' mompelde ze.

Mevrouw Bosveld stond op.
'Vijf over twaalf helaas. Wegwezen, kerels. Beneden wacht meneer Veringa op jullie.'

Ze kroop diep in haar slaapzak, gezicht naar Lisanne. Ze reageerde niet op de opmerkingen van Valerie aan de andere kant naast haar.
'Ze is stikjaloers, Tasch,' fluisterde Lisanne, 'ze heeft niet gewonnen en Stefan had alleen maar oog voor jou.'
Zo, dat had Lisanne dus ook gezien.
'Een moord voor een lekker patatje.'
Daphne. Natascha stopte haar vingers in haar oren. Niet luisteren nu, niet aan eten denken nu. Haar succes... Stefan... slapen... dromen...

Ze werd wakker van stemmen. Hoe laat was het? De verlichte wijzers van haar horloge stonden op twee uur. Voorzichtig draaide ze zich om. Valerie lag met haar rug naar haar toe. Praatte ze met Daphne? Toen zag ze de hand die het mobieltje tegen haar oor hield. Die was gek. Met wie was ze aan het bellen?
'Nee... hartstikke stom, joh. Wees maar blij dat je niet mee mocht doen.'
Marloes?
'Ja, eindeloos kinderachtig. Brugklasplaybackjes, zingen bij een gitaartje...'
Zo jaloers als de pest!
'Stefan? Zat ik naast. Kon z'n ogen niet van me afhouden, joh.'
Leugenbitch, Stefan keek naar mij.
'Weet je wat-ie zei? Jij had moeten winnen. Je imitatie van Brigitte Kaandorp was perfect.'
Rotmeid! Je liegt dat je barst!
'Ja, echt waar. Hij vond het belachelijk dat zo'n stom zwijmelliedje had gewonnen.'
Je liegt! Je liegt! Maar hoe wist ze dat zo zeker?

Natascha balde haar vuisten. Hij had de hele avond niks tegen haar gezegd. Alleen maar gevraagd of ze nog een keer wilde zingen. En dat kijken naar haar... wist ze dat wel zeker op die afstand? Waarom was hij niet naast háár komen zitten?

'Ben je belazerd! Je denkt toch zeker niet dat ik de hele dag niks heb gege... Wacht even...'

Valerie stopte haar hoofd in de slaapzak... onverstaanbare zinnen... gegiechel.

Natascha voelde het zweet op haar rug en voorhoofd. Het rommelde in haar buik. Ze werd ziek. Stefan... hoe kon die zo gemeen zijn. Ze slikte krampachtig. Het maagzuur brandde in haar keel. Als ze niet iets at, ging ze kotsen. En wat deed het ertoe? Voor hem had ze dit allemaal over gehad. Maar als hij toch liever met Valerie...

Ze stak haar hand uit, voorzichtig grabbelde ze in haar tas, het papier ritselde toen ze de Bounty vond. Millimeter voor millimeter scheurde ze de wikkel kapot... chocola, kokos... het vulde haar maag... overgeven hoefde niet meer. Het smaakte niet...

Met een knallende hoofdpijn stond ze op. In de veel te kleine wasruimte bij de toiletten keek ze in de spiegel.

'We zien er niet uit, Tasch. Vanavond ga ik een uur in bad zitten. Kijk niet zo lelijk, joh. 'k Geloof dat ik nu toch wel trek in een boterham krijg.' Lisanne ratelde.

Terug in het lokaal pakte ze haar slaapzak, schudde die uit om hem in model te krijgen. Bliksemsnel zette ze haar voet op het gescheurde papier dat eruit viel.

'Ja ja...'

Ze draaide zich om en keek in de triomfantelijk spottende ogen van Valerie. Shit, ook dat nog.

'Ja ja...' Valerie pakte haar weekendtas en liep weg. Natascha rolde haar slaapzak op. Zou ze nog ontbijten of ging ze meteen maar naar huis?

Vierde lesuur. Bosveld.

'Toch nog maar even napraten? Ik ben best trots op mijn klasje. Met een lege maag de talentenjacht winnen, Natascha, terwijl iedereen dacht dat je het niet zou redden. Goed van jou.'

'Kunst, als je 's nachts ligt te kanen.'

Natascha werd rood. Mevrouw Bosveld fronste haar wenkbrauwen.

'Dat is me nogal wat, Valerie.'

Die haalde haar schouders op. 'Heb het zelf gezien. Er kwamen vanmorgen Bountywikkels uit haar slaapzak.'

Rumoer in de klas.

'Wacht even. Dit is eenvoudig op te lossen. Waar of niet waar, Natascha?'

Ze probeerde net zo onverschillig te kijken als Valerie. Ontkennen? Niemand anders had het gezien. Ze slikte moeizaam. Nu keken ze allemaal naar haar. Wat deed het er allemaal nog toe? Als ze maar niet ging huilen... Toen knikte ze.

'Dan is ze niet de enige, juf. Ik heb ook gegeten.'

Stefan! Ze verroerde zich niet. Haar hart begon te bonzen. Hij draaide zich om, er speelde een glimlach om zijn mond. Ze had gelogen, die rotmeid! Hij nam het voor haar op! Voor haar! En...

'Eh... juf, ik werd vannacht wakker. En toen kon ik het niet langer houden. Ik had maar twee zakjes chips meegenomen. Eén heb ik opgegeten...'

Victor.

'En dat andere kreeg ik, juf.'

Marco.

Hier en daar werd nerveus gelachen.

'Ik heb ook...'

'Ho! Stop iedereen!' Mevrouw Bosveld stak beide handen omhoog.

'Wie heeft er tijdens de actie gegeten?'

Eén voor één gingen de handen de lucht in. In de stilte die

volgde, draaide Daphne haar gezicht naar Valerie. Die bleef nors voor zich uit kijken. Toen gingen hun handen langzaam omhoog.

Mevrouw Bosveld drukte enkele seconden haar vingertoppen tegen haar voorhoofd, bedekte even haar gezicht met beide handen. Toen vouwde ze haar armen over elkaar. Ze zuchtte, schudde haar hoofd. De klas wachtte gelaten af. Preek?

'Weet je, 2a, ik doe dit werk nu al bijna dertig jaar, maar van jullie begrijp ik niks. Valerie lapt Natascha erbij. Maar ze is zelf net zo schuldig. Collega De Wit hebben jullie een paar vreselijke weken bezorgd. Daarbij deinzen jullie er af en toe niet voor terug ook elkaar het leven zuur te maken. Het drukste, het lastigste, het meest bewerkelijke stel dat ik in jaren heb gehad. En toch...' Ze zweeg even.

'Dat iedereen gegeten heeft, daar geloof ik niets van.'

Haar ogen dwaalden peinzend over de groep. Ze glimlachte.

'Eén gesloten blok, hè? *Zip your lip*, als het erop aankomt. Over enkele maanden gaan jullie naar 3 en ik begin weer in een brugklas. Maar ik weet nu al dat ik jullie zo zal missen...'

Daphne

Vanaf de eerste dag werd Agnes gepest. Het merendeel van de klas schaamde zich er nauwelijks voor: wie gepest werd, was stom en had de ellende dus aan zichzelf te wijten. Bovendien heette ze Agnes Leuken... je had niet zo veel pestfantasie nodig om daar wat van te maken: Agnes deed het dus op elk moment van de dag in de keuken...

Ze was opdringerig, bemoeide zich met alles en iedereen, wilde altijd anderen helpen, terwijl dat nooit op prijs gesteld werd. Afgesnauwd worden, haar spullen verstopt, agenda volgekliederd, geduwd en gestompt worden in de volle gangen tussen de lessen – het leek haar niet te deren.

'O, sorry hoor,' zei ze wel tien keer per dag, terwijl ze nergens schuld aan had.

Wie per ongeluk iets aardigs tegen haar zei, had daar meteen spijt van: stroop aan je vingers was beter dan het dagenlange gekleef van Agnes als gevolg van twee vriendelijke woorden.

Ze leerde gemakkelijk. Zij en Rachida waren de besten van de klas. Alleen: aan Rachida vroeg je hulp, van Agnes eiste je voor schooltijd schrift of werkboek op. Ze weigerde nooit, ze werd nooit kwaad, slechts één keer stonden er tranen in haar ogen.

'Leuken vrijt met Pimmetje!'

Daphne deed alsof ze Agnes niet had zien staan.

'En, Pimmetje? Wie kust er beter, ik of zij?'

Daverend gelach. Met vochtige ogen staarde Agnes naar haar plaaggeest. Ze zei niks, draaide zich om en liep weg.

Pim pakte zijn tas. Na enkele stappen riep hij over zijn schouder: 'Stom kankerkreng!'

'Hé vetzak, wacht jij eens even...'
Maar Rachida stak een arm uit en hield haar tegen.
'Laat die twee met rust, Daphne.'
'Maar ik pik het niet... Mijn oom is aan kanker overleden en ik...'
'Je bent zelf begonnen.'
Daphne keek in de vriendelijke maar besliste ogen van Rachida. Ze sputterde nog wat tegen, bleef toch staan.
'Ik krijg je nog wel, dikke!'

'Wie pakken we het eerst, Agnes of Pimmetje?'
Met z'n drieën was er weinig ruimte in de telefooncel.
'Laat mij maar. Wat is het nummer van Leuken?'
Daphne schoof de telefoonkaart in de gleuf. Valerie noemde één voor één de cijfers, Marloes kreeg bij voorbaat al de slappe lach.
'Stil nou!'
De telefoon ging enkele keren over. Daphne schudde haar hoofd en legde de hoorn terug.
'Antwoordapparaat. Pech, we kunnen het beter vanavond proberen. Nee, wacht even...' Ze begon te lachen.
'Dat was haar vader. *U kunt een boodschap inspreken.* Nou, die heb ik voor hem.'
Opnieuw draaide ze het nummer. Gespannen keken Marloes en Valerie hun vriendin aan toen ze de pieptoon hoorden.
'Dag schat van me... je spreekt met Monique van Verwencentrum Agnes. Als ik aan je denk, word ik zo geil... zo geil als roomboter... Als je ook wat wilt... bel me dan op mijn 06-nummer... dag... lieverd...'
Daphnes stem klonk laag en verleidelijk. Valerie stikte van het lachen.
'O hou op! Ik doe het in mijn broek!'
Marloes vloog de cel uit.
'Nou Pim nog,' zei Valerie.
'Doen we morgen wel,' besliste Daphne, 'niet alles tegelijk.'

In de dagen die volgden, zochten ze vaak een telefooncel op. Toen Daphne Agnes' vader zelf aan de telefoon kreeg, haalde ze diep adem voor ze aan haar tekst begon. Ze bleef onverstoorbaar doorpraten toen een opgewonden vader Leuken wilde weten wie ze was. Nog even luisterde ze naar de boze stem aan de andere kant van de lijn. Toen verbrak ze met een voldane glimlach de verbinding.

Dat zowel Van Dijk als Bosveld de klas waarschuwden omdat de school een klacht had gekregen 'vanwege telefoonterreur' zoals zij dat noemden, maakte alles alleen maar spannender.

Een week na het eerste telefoontje stapte een man het schoolplein op.

'Leuken!' siste Daphne. 'Wegwezen, meiden!'

Zenuwachtig giechelend renden Marloes en Valerie achter hun vriendin aan naar de fietsenstalling. Onder de bescherming van fietsen en golfplaten zagen ze leerlingen wijzen... maar nooit naar de stalling. Hinnikend van de lach volgden ze met hun ogen Agnes' vader die van de ene hoek van het plein naar de andere werd gestuurd tot hij met driftige passen in de school verdween.

'Ik klets me er wel uit,' fluisterde Daphne een half uur later tegen Valerie toen ze tijdens de les bij Van Dijk werd geroepen. Dat viel tegen tegenover een woedende vader Leuken. Verontwaardigd wees ze elke beschuldiging van de hand. Ze wist van niks. Maar een rustig boze Van Dijk maakte een eind aan haar zelfbewuste houding.

'O ja, jongedame? En wat is dit dan?'

Even later hoorde ze haar eigen stem door de directiekamer zweven. *Shit... het antwoordapparaat!* Ze begon zenuwachtig te giechelen. Dit was komisch: die twee ernstig kijkende heren... haar zwoele stem...

'Je vindt het nog steeds grappig, geloof ik.' Van Dijks stem beloofde niet veel goeds.

'Was maar een geintje...' probeerde ze zwakjes.

'Geintje? Geintje? Ik duld jouw gemene pesterijen niet, jongedame. Haal je tas maar. Intussen bel ik je ouders dat je voor twee dagen geschorst bent.'

Ze baalde van die twee dagen: de gemiste lesaantekeningen, overhoringen en proefwerken. Ze voelde zich als een kleuter in de hoek gezet. En daarnaast ook nog haar boze ouders die thuis telefoontjes gingen controleren, de twee saaie strafweekends zonder vriendinnen en disco. Alles de schuld van die stomme trut. Veertien jaar en dan je pappie en mammie erbij halen om je op school te beschermen...

Terug op school sprak ze niet meer met Agnes. Het treiteren liet ze voortaan aan anderen over, maar de gedachte aan wraak raakte ze niet kwijt. Ook niet toen Bosveld twee weken later meedeelde dat Agnes van school was. En ook niet toen er na het nogal heftige mentoruur op het schoolplein werd nagepraat over de schuldvraag.

'Daphne heeft...'

Maar Valerie nam het onmiddellijk voor haar op.

'Dat is niet eerlijk. We hebben allemaal meegedaan als Daphne een plannetje had. En wie heeft er geprotesteerd?'

Enkele ogen gingen naar Rachida. Pimmetje draaide zich om en liep weg.

'Bovendien, het blijft een stom kind. Dat kan ook moeilijk anders met zo'n va[illegible]'

En daarmee maakte [illegible]rloes een eind aan de discussie. Over Agnes werd niet meer gepraat. Maar de schorsing bleef Daphne dwars zitten.

Minstens één keer per week kwamen ze Agnes nog tegen in de stoptrein van of naar school.

'Wat zielig, zo helemaal alleen in de trein zonder je pappie.'

Maar Agnes reageerde nooit, kreeg een kleur, staarde uit het raam, zei niets.

'Laat die sukkeltut toch,' zeiden Valerie en Marloes dan, maar Daphne hield niet op. Ze moest het slimmer aanpakken dan met die telefoon. Maar wraak nemen moest...

Op een vrijdag – na een lange, vermoeiende proefwerkweek – liepen Daphne, Valerie en Marloes al vroeg in de middag de school uit. Uitgelaten druk, nu de spanningen van de repetities voorbij waren, en met het vrije weekend in het vooruitzicht, hadden ze zich op weg naar het station al op menig voorbijganger afgereageerd. Vanaf het perron zag Daphne Agnes in de verder lege coupé zitten.

'Kom op, meiden,' schreeuwde ze door het dolle heen, 'we gaan trutje Leuken gezelschap houden.'

Ze wachtte de reactie niet af, rende weg, sprong de trein in en nestelde zich tegenover Agnes, die haar verschrikt aankeek. Ze maakte een beweging of ze op wilde staan, maar op dat moment ploften Valerie en Marloes neer op de twee overgebleven plaatsen waardoor ze geheel ingesloten was. Ze drukte zich dicht tegen het coupéraampje en keek strak naar buiten. Daphne negeerde de vragende blikken van haar vriendinnen en schonk Agnes haar vriendelijkste glimlach.

'Gezellig! Wat een eeuwigheid geleden dat we elkaar gesproken hebben, hè?'

Agnes sloeg haar beide armen om het rugzakje dat op haar knieën stond en bleef naar buiten staren.

'En... is 't leuk op je nieuwe school?'

Agnes knipperde met haar ogen, perste haar lippen op elkaar en leek haar rugzak nog steviger tegen haar borst te klemmen.

'Nou zeg... je kent ons toch nog wel. Kijk, dat is Valerie die altijd van die leuke grapjes maakt, naast je zit Marloes, ook leuk, en ik ben...'

Marloes begon te giechelen, Valerie stak haar hand uit. 'Leuk kennis te maken.'

Buiten klonk een fluitje, de trein zette zich in beweging. Agnes stond half op, maar als bij afspraak trokken Valerie en Marloes hun benen omhoog zodat ze om het gangpad te bereiken over hen beiden heen had moeten klimmen. Ze zakte weer terug.

'Waarom zeg je niks? We zijn altijd vriendinnen geweest en nu doe je net of... Waarom lachen jullie nou zo stom? Trek je maar niks aan van die stomme meiden, hoor Agnes. Ze zijn een beetje uitgelaten...'

Ze had geen flauw idee wat ze met Agnes wilde. Het was een opwelling geweest. Wat nou slim plannetje bedenken... gewoon aanpakken die trut! Haar tas uit het raam gooien? Te gek, maar te opzichtig. Nee, ze moest haar er deze keer goed inluizen en toch zelf vrijuit gaan.

En toen zag ze het opeens, boven Valeries hoofd. Durfde ze dat? Het moest kunnen. Niemand anders dan zij vieren zaten in de coupé. Als een magneet trok het ding haar aan.

'Wat zit jij te staren, Daphne? Zie je water branden?'

Ze sprong op, strekte haar arm, pakte de handgreep en trok...

'Niet doen, Daphne,' fluisterde Marloes ontzet – maar alles ging zo verschrikkelijk snel dat die woorden pas tot haar doordrongen toen de trein schokkend tot stilstand kwam en ze alweer op haar plekje tegenover Agnes zat.

'Waarom deed je dat nou, Agnes? Je weet toch dat misbruik gestraft wordt.' Daphne genoot van de oprecht klinkende verbazing die ze in haar eigen stem hoorde. En van de langzaam opkomende angst in Agnes' ogen. Die vloog overeind. Nu bogen de knieën bereidwillig uiteen om haar door te laten. Half struikelend vluchtte ze naar het balkon.

'Hoe durf je...?' Er klonk bewondering in Valeries stem.

Daphne keek haar verbaasd aan.

'Ik? Je bedoelt Agnes toch zeker.'

'Wat gebeurt hier? Heeft één van jullie aan die rem getrokken?'

De stem van de conducteur had een dreigende klank.

'Nee meneer, ik... zij...' Marloes zweeg, Valerie keek angstig.

Daphne wees naar de lege plaats bij het raam. 'Daar zat zoëven nog een meisje...'

'En die heeft aan de noodrem getrokken?'

'Ze liep die kant op, naar het balkon.'

Met grote passen beende hij weg. De tochtdeur schoof automatisch achter hem dicht.

'Hoe...?' begon Marloes.

'Hou je kop,' siste Daphne, 'laat het aan mij over.'

Vanaf het balkon drongen stemmen door. Toen, luid en helder, het hoge stemgeluid van Agnes.

'Ik heb het niet gedaan, ik heb het niet gedaan...'

Ze herhaalde dat zo vaak en zo luid dat Marloes haar vingers in haar oren stak. Sussende woorden klonken. Van de conducteur? Andere stemmen. Enkele ogenblikken was het helemaal stil. Toen zette de trein zich weer in beweging. De tussendeur ging open. De conducteur kwam binnen, achter zich een man en een vrouw. Hun blikken bleven rusten op Daphne. De stem van de conducteur: 'U zei... u zag een hand uit een rode mouw...?'

Haar hoofdhuid begon te prikken. Ze voelde zich net zo rood worden als haar jack. Ze wist het: opnieuw had ze van Agnes verloren. En die had deze keer niet eens haar vader nodig gehad.

'En wat heeft de jongedame daarop te zeggen?'

Ze haalde haar schouders op. Agenten, conducteurs en docenten... als ze dachten dat ze je te pakken hadden, gebruikten ze allemaal dezelfde woorden en hetzelfde toontje. Ontkennen zou geen enkele zin hebben.

'Schuif eens een plaatsje op, meisje. Eerst nog een paar vragen en dan moet ik hier, geloof ik, een vervelend verhaaltje over schrijven.'

Valerie schoof naar het raam op de plek waar net nog Agnes had gezeten. De conducteur ging zitten en pakte zijn notitieboekje.

Zoals altijd stapte Agnes een station eerder uit. Met gebogen hoofd sjokte ze langs het coupéraam, duimen achter de banden van haar rugzak. Daphne staarde haar na... Ze had iets zieligs, alsof ze net geweldig op haar kop had gehad. Alsof ze verloren had. Als zij Agnes was geweest, wist ze het wel: triomfantelijk grijnzen... roepen: Lekker puh, stomme trut!

Wraak nemen? Wat had dat kind haar gedaan? Waarom koos ze haar elke keer weer uit voor pesterige spelletjes? Spelletjes die ze ook nog eens verloor. Gatsie... wat werd ze hier sacherijnig van. Was ze eigenlijk niet een...

'Stom kankerkreng,' mompelde ze.

Valerie en Marloes keken haar verschrikt aan. Met donkere ogen staarde ze naar haar vriendinnen. 'Praten jullie nooit eens tegen jezelf?'

Rachida

Ze was misschien wel de rustigste leerling van de klas. Stil ging ze haar gang. Trouw in haar huiswerk, maar ook snel van begrip. Of het nou wiskunde, Engels of economie was, ze doorzag de problemen onmiddellijk en wist meestal ook de oplossing. Geen wonder dat ze de beste van de klas was. Als ze daar al trots op was, liet ze dat in ieder geval niet merken. Voor, tijdens of na de les, nooit was ze te beroerd om een ander te helpen.

In de klas telde haar mening. Zelfs Wouter en Daphne luisterden naar haar als ze vond dat die het tijdens Engels bij Big Ben te bont maakten. Een watje, een stuud, een nerd – dat waren de scheldwoorden voor elke andere stille, ijverige klasgenoot. Voor haar was er alleen maar respect.

Ze was mooi. Met haar kleurige hoofddoekjes en prachtige lange gewaden zag ze er beter uit dan alle meiden in hun moderne merkkleding.

Respect was er ook voor Mohamed en Abdel, haar twee broers in havo-3 en vwo-5. Als bodyguards waakten die twee over hun jongere zusje. Iets wat Rachida kennelijk vanzelfsprekend vond.

'Kan jij mij vanmiddag na schooltijd helpen met wiskunde? Ik snap er de ballen van.' Vragend keek Carlijn Rachida aan.

'Tuurlijk.'

'Ga dan met me mee naar huis. Lijkt me gezelliger dan op het schoolplein.'

'Is goed, alleen... dat moet ik eerst thuis vragen.'

Carlijn fronste haar wenkbrauwen.

'We zijn al om half drie uit. Een uurtje later thuiskomen is toch niet zo erg? Of vertrouwen ze je thuis niet?'

Het moest als een grapje klinken. Wie zou Rachida nou niet vertrouwen?

Die schudde echter verontwaardigd haar hoofd.

'Het gaat helemaal niet om wel of niet vertrouwen, Carlijn. Je ouders hebben er altijd recht op te weten waar je bent.'

'O...'

Altijd? Daar was Carlijn het dus niet mee eens. Stel je voor... Maar het leek beter dat niet te zeggen.

'Dan bel je toch even als je bij mij thuis bent.'

Maar het bleef nee.

'Dan heb ik het al gedaan voor ik het gevraagd heb. Bovendien heeft mijn moeder een hekel aan de telefoon. Nee, ik ga eerst naar huis.'

Carlijn haalde haar schouders op. Wat een overdreven gedoe.

'Wil je één of twee klontjes in je thee?'

Aarzelend keek Rachida Carlijns moeder aan. Die begon te lachen.

'Drie dan, of vier?'

Drie was wel genoeg. Carlijn verslikte zich, hoestte, sloeg haar hand voor haar mond.

'Gatsie, suiker met thee. Drink je ze thuis ook zo? Marokkanen drinken toch veel thee?'

Rachida knikte. 'Lekker zoet, maar meestal niet na schooltijd.'

'O... wanneer dan?'

'Theedrinken hoort bij ons bij de avond. Lekker rustig, allemaal bij elkaar, mijn vader, mijn moeder, mijn broers... gezellig.'

'Elke avond?'

'Bijna elke avond. Soms willen mijn vader en broers wel eens samen praten. Dan blijven mijn moeder en ik in de keuken.'

'Nou zeg, mooie boel. Zij gezellig in de kamer en de vrouwen in de keuken? Dat is toch discriminatie.'

Carlijn zag haar moeder afkeurend haar hoofd schudden. Rachida keek geschrokken. Even leek het of ze geen antwoord wist op de felle reactie.

'Je snapt het niet, Carlijn. Dat is onze cultuur. Ik zou er niet eens bij willen zijn. Het is toch heel normaal als mijn vader een keer alleen met mijn broers wil praten. Mijn ouders en mijn broers hebben alles voor mij over. Mijn vader werkt dag en nacht zodat Mohamed, Abdel en ik naar school kunnen. Hoe kun je dat nou discriminatie noemen?'

Daar wist Carlijn geen antwoord op. Ook niet op de uitbrander van haar moeder later op de dag.

'Je moet eens nadenken, Carlijn, voor je er iets uitflapt. Hoog tijd dat je je in de cultuur van je klasgenoot gaat verdiepen.'

Rachida was niet boos. Vanaf die middag ging ze vaker met Carlijn mee. Toen die voor de eerste keer bij Rachida binnenstapte, voelde ze zich niet helemaal op haar gemak. Het lag niet aan Rachida's moeder. Die was aardig, sprak goed Nederlands met een grappig accent. Dat verbaasde Carlijn. Het lag op het puntje van haar tong dat ze altijd gedacht had dat Marokkaanse vrouwen slecht Nederlands spraken... maar de uitbrander van haar moeder had geholpen.

Na twee bezoekjes voelde ze zich er thuis. Het leek wel of niemand daar ooit haast had. Allemaal waren ze even rustig en vriendelijk, ook Rachida's vader, hoewel ze die meestal pas zag als ze wegging.

Rachida was heel handig in de keuken, kon de lekkerste dingen klaarmaken. Was als een tweede moeder voor haar broertje van drie. Waar was ze eigenlijk niet goed in? vroeg Carlijn zich soms verbaasd af. Het respect en de trots waarmee Mohamed en Abdel hun knappe zusje behandelden werd steeds vanzelfsprekender. Daar kon háár oudste broer een voorbeeld aan nemen...

En toen was er in het vroege voorjaar die vreselijke gebeurtenis.

Maandagochtend. Mevrouw Bosveld, bijna altijd goed voor een vrolijk, ontspannen begin van de week, kwam met een ernstig gezicht binnen.

'Gisteravond is er bij Rachida thuis iets heel ergs gebeurd.'

Alle ogen gingen naar de lege plek in het lokaal. Voor schooltijd had Carlijn nog gemopperd dat Rachida nu net op deze dag ziek moest worden. Twee van de vijf vraagstukken economie had ze in het weekend niet voor elkaar gekregen, dus had ze – en zij niet alleen – erop gerekend dat Rachida voor schooltijd zou helpen.

'Rachida's vader is gisteravond overleden. Ik heb vanmorgen even contact gehad met Mohamed, haar broer. Hij heeft erbij gestaan toen zijn vader probeerde twee vechtende jongens uit elkaar te halen. Daarbij kreeg hij van een van de vechtersbazen een messteek en toen... toen ging het mis... Vreselijk mis...'

Niemand zei iets. Onwillekeurig gingen een paar ogen opnieuw naar de lege tafel. Hoe vaak hadden ze dat jaar in de klas niet over zinloos geweld gepraat? Maar dat ging altijd over geweld ver weg... Hier in het rustige Ilpenburg gebeurde zoiets niet.

Nu was het er toch, heel dichtbij. Carlijn staarde strak voor zich uit. Weer iemand dood... eerst Harley en nu... Je vader dood en dan ook nog zo... zo vreselijk...

Jeffrey haalde een krant uit zijn tas en vouwde die open.

'Het staat er al in, juf. Ik wist alleen niet dat het over Rachida's vader ging.'

Jeffrey, elke dag vroeg op om de krant rond te brengen, kende de koppen van de voorpagina meestal uit zijn hoofd. Hij liep naar voren, legde *De Nieuwe Stadscourant* op Bosvelds bureau en wees. 'Maar volgens mij klopt er geen barst van, juf.'

Haar ogen vlogen snel over het bericht. Ze fronste, schudde haar hoofd.

'Luister,' zei ze, 'dan zal ik het voorlezen.'

MAROKKAAN GEDOOD IN BLOEMENWIJK

Zondagavond is bij een vecht- en steekpartij op het Narcisplein de 44-jarige M.B. gedood. Tijdens een hoog opgelopen ruzie trok één van de drie Marokkanen een mes en bracht het slachtoffer enkele fatale steken toe. De ambulance was snel ter plekke, maar bij aankomst in het ziekenhuis bleek de man te zijn overleden. De twee andere betrokkenen, de 18-jarige A.F. en de 20-jarige R.H., zijn gearresteerd. Over de motieven tast de politie nog in het duister.

'Wat een gemene rotstreek! Ze doen net of meneer Boussabine een misdadiger is!'

Carlijn kon zich niet beheersen. Mevrouw Bosveld liet haar halve koordjesbril van haar neus glijden en schoof de krant opzij.

'Ik vrees, Carlijn, dat ik het met je eens moet zijn. Lijkt me een bijzonder slechte beurt van de NSC.'

''t Is gewoon discriminatie.'

Iedereen keek nu naar Carlijn, een enkeling duidelijk verwonderd over haar harde stem. Het kon haar niks schelen. Schelden... dan ging ze niet huilen... niet huilen nu.

'Schandalig is het! Niet eens zijn naam... Voorletters... als een crimineel. Als het nou gewoon... een gewone Nederlander was geweest, hadden ze dan ook zo...?'

Ze stotterde, voelde iets vochtigs in haar ogen branden, zweeg. Het bleef stil in de klas. Bosveld keek haar vriendelijk aan.

'Nogmaals, Carlijn, je hebt helemaal gelijk. Dit bericht is op z'n zachtst gezegd onzorgvuldig. Het wekt de indruk dat Rachida's vader bij de ruzie was betrokken, terwijl hij volgens Mohamed juist zo moedig is geweest om de vechtjassen uit elkaar te halen.'

'Maar dan moeten we toch protesteren. Over discriminatie moet je nooit zwijgen, zegt u altijd zelf.'

Het klonk boos en agressief, maar Bosveld bleef vriendelijk.

'Natuurlijk, Carlijn, niemand heeft toch beweerd dat je je mond moet houden?' Ze glimlachte. 'Je bent ook al aardig bezig, nietwaar? Stel maar wat voor. Op mij kun je rekenen. Alleen... bedenk wel dat het verdriet van Rachida en haar familie oneindig veel belangrijker is dan onze boosheid over de berichtgeving in de krant.'

Carlijn wreef in haar ogen.

'Eh... juf, als ik nou morgen eens stop met het rondbrengen van de krant?'

'Dat is lief van je, Jeffrey, maar geloof je zelf dat ze daar bij de redactie wakker van zullen liggen?'

Jeffrey schudde zijn hoofd, keek opgelucht.

'Als we de hele schoolkrantpagina eens volschrijven met protesten?'

'Geen slecht idee, Stefan, maar dat duurt nog wel ruim drie weken.'

'Kunnen we vanavond niet allemaal naar het Narcisplein gaan...?'

Carlijn kreeg een kleur toen ze de blikken van de hele klas op zich gericht voelde.

'Ga door. En dan?'

'Nou, eh... allemaal... met bloemen en zo... een soort, eh... stille tocht...'

'Vind ik een prachtig idee, Carlijn. Jullie ook?'

Er werd geknikt. 'Daarmee protesteren we niet alleen, maar helpen we Rachida misschien ook een beetje. Mijn steun hebben jullie.'

En die bleken ze hard nodig te hebben. Het leek zo'n simpel idee, maar wat een organisatie was het. Nog diezelfde ochtend belde mevrouw Bosveld met de politie, die bevestigde dat Rachida's vader het zoveelste slachtoffer van zinloos geweld was geworden. Ze sprak met Van Dijk en de mentoren van Mohamed en Abdel. Hun klasgenoten waren net zo aangeslagen als 2a.

Het was ook Bosvelds voorstel om de tocht te verschuiven naar de dinsdagavond, zodat er meer voorbereidingstijd zou zijn.

'Zoiets moet je perfect doen, of helemaal niet,' zei ze. Praten in alle klassen, de hele school inschakelen, extra ouderinfo, politie waarschuwen, spandoeken maken. Over dat laatste was nog wel enige discussie. Wat kon wel, wat kon niet? En opnieuw was het Bosveld die het verlossende woord had.

'Vraag je af of jouw spandoek past bij een stille tocht en of je er Rachida, Mohamed en Abdel mee helpt.'

Zo belandde een aantal al snel in de prullenbak.

Trillend van de zenuwen stond Carlijn die dinsdagavond veel te vroeg bij de school, in de ene hand een roos, in de andere het witte stuk karton aan een stok waarop met zwarte printletters: *We houden van je, Rachida.* Binnen een half uur stroomde het plein vol met leerlingen en docenten. Carlijn kon haar ogen niet geloven. Het leek of iedereen er was. Verlegen lachend keken de leerlingen elkaar aan. Door een megafoon klonk de stem van Van Dijk.

'Over enkele ogenblikken beginnen we aan onze stille tocht. Mag ik jullie vragen vanaf nu ook echt stil te zijn?'

En wat in de klas meestal lang duurde, gebeurde hier op het plein in enkele ogenblikken: het werd stil, heel stil. Hier en daar werd gehoest. Schuifelende voeten over de tegels. Verkeersgedruis in de verte. Hoog in een boom floot een merel zijn avondlied.

'Carlijn?' Mevrouw Bosveld legde een hand op haar schouder. 'Kom je voorop lopen? De tocht begint.'

Ze schrok. Dat wilde ze niet. Maar de handen van haar mentrix duwden haar zachtjes naar voren.

'Alleen als u ook...'

Langzaam liepen ze het schoolplein af de lege straat in. Een meter of tien voor de stoet reed een agent op een motor, bij elke zijstraat stond een agent die het verkeer tegenhield. Strak keek Carlijn voor zich uit. Ze wist dat er honderden leerlingen achter haar liepen, maar ze kon zich daar geen voorstelling van maken.

Van school naar het Narcisplein was ongeveer een half uur. Voor haar gevoel duurde het uren. Pas later begreep ze dat veel mensen uit hun huizen kwamen en zich bij hen aansloten.

Voor het huis in de Dahliastraat stonden ze stil. De deur ging open en Mohamed, Abdel en Rachida kwamen naar buiten. Rachida omhelsde Carlijn met tranen in haar ogen. Toen greep ze haar arm en liet die niet meer los.

'Kom,' zei ze, alsof ze zelf de leiding had genomen.

De stoet zette zich weer in beweging, nog maar vijftig meter naar het Narcisplein...

Er waren geen toespraken. Dat was ook zo afgesproken. Het moest een stil protest zijn. Toen een deel van het Narcisplein bloemenveld was geworden, vroeg Van Dijk om enkele minuten stilte. Daarna ging iedereen terug naar school. Een enkel groepje bleef napraten op het schoolplein, de meesten pakten hun fiets en gingen naar huis. Het verzoek om niet met de bromfiets te komen had niemand genegeerd.

Na tien dagen kwam Rachida weer op school. Ze droeg een spierwit hoofddoekje. Hoorde dat bij de rouw? Carlijn wist zeker dat ze dat niet zou durven vragen. Alle grote monden van 2a – en dat waren er normaal heel wat – zwegen toen ze het lokaal binnenkwam en haar plekje weer innam. Wat zeg je tegen iemand die net haar vader heeft verloren?

Het bleef enkele ogenblikken stil in het lokaal. De ogen van mevrouw Bosveld dwaalden over de klas. Haar blik bleef rusten op Rachida.

'Fijn dat je er bent, Rachida. Nu zijn we weer compleet.' Ze keek naar Carlijn en glimlachte.

'We houden van je, Rachida.'

Agnes

Uit het dagboek van Agnes Leuken:

zondag 19 augustus

Lief dagboek,

Afgelopen vrijdag ben ik thuisgekomen. Ik voel me een beetje schuldig omdat ik je al die weken niet geschreven heb. Maandenlang zit ik aan je kop te zeuren over alle nare dingen op school. Dan zijn er drie fantastische weken in Frankrijk en laat ik niks van me horen. Maar je begrijpt het vast wel. Ik beloof je dat ik je de komende dagen uitgebreid zal vertellen hoe heerlijk het was op de camping. Terwijl je weet dat ik eerst helemaal geen zin had om zonder mamma en pappa op vakantie te gaan. Schatten zijn het, tante Von, oom Paul en Esther. Het klinkt wat plechtig, maar bij hen kan ik mezelf zijn (en thuis natuurlijk). Ik heb daar mijn haar los gedragen. Esther was jaloers. Ze vindt dat ik hartstikke knap ben en denkt dat alle jongens achter me aan lopen. Dat heb ik maar zo gelaten. Als ik in de spiegel kijk, vind ik ook dat lang haar me goed staat. Maar naar school durf ik dat vast niet. Als ik dat woord noem, word ik meteen sacherijnig. Overmorgen is het weer zover: rooster en boeken halen en het ergste... weer terug naar de klas. Daar is natuurlijk niks veranderd. Alleen één cijfer: 1a is 2a geworden. Mamma maakt zich geloof ik ook al zorgen na alle pestproblemen van het afgelopen schooljaar. 'Je hebt gelukkig dezelfde mentrix,' zei ze vanmorgen. Dat is waar. Bosveld is een schat, maar zij wordt niet gepest en als ik te vaak bij haar klaag, wordt er meteen wraak genomen. Shit, nou doe ik alweer of het helemaal mis is. Misschien valt het mee. Jij laat me niet in de steek, hè?

Groetjes, Agnes

dinsdag 21 augustus

Lief dagboek,

Precies wat ik dacht. Wat een trut ben ik toch. Ze duwde me gewoon weg vanmorgen bij de kluisjes. Wie? Daphne natuurlijk. 'Opzij, Leuken, ik was eerst.' En wat deed ik? Opzij gaan! Erger nog, ik gaf haar de boeken aan die ze op de grond had gesmeten, vroeg of ze een leuke vakantie had gehad. Ja, dat ging wel, ze was vier weken in Californië geweest. 'En jij?' vroeg ze met dat hatelijke lachje. 'Zeker weer in de Achterhoek geweest?' Waarom krab ik dat kreng de ogen niet uit haar kop? Waarom blijf ik op die school? Nou ja... dat weet je natuurlijk wel. Nee, ik durf je nog steeds niet te vertellen wie het is. Maar toen ik hem vanmorgen zag, wist ik het: ik ben nog steeds verliefd. O ja, ik heb toch mijn haar weer gevlochten. Laf hè?

Groetjes, Agnes

donderdag 30 augustus

Lief dagboek,

Wat ik vandaag heb meegemaakt! Je gelooft het niet. Op school hoorden we dat het tweede en derde uur waren uitgevallen: Witje ziek. Nou, daar leer je toch niks. Altijd een puinhoop. Ik had geen zin om bij school of in de kantine te hangen, moest nog een woordenboek Frans kopen, dus liep ik op mijn gemak de tien minuten naar het centrum. Zit ik bij *De Slock* aan de Oude Haven een glas cola te drinken... wie komt er binnen? Witje! En wat zegt ze? 'Wat doe jij hier? Waarom zit je niet op school?' Stomverbaasd keek ik haar aan. 'Ik heb twee uur vrij omdat u ziek bent.' Eerst begreep ze het geloof ik niet, toen begon ze te lachen en kwam aan mijn tafeltje zitten. Hebben we een halfuur gezellig zitten kletsen. Ze is eigenlijk best aardig. En helemaal niet ziek.

'Nou denk jij natuurlijk dat ik spijbel,' zei ze, toen ze koffie had besteld. 'Leugentje van de school. Ik heb gisteravond mijn ontslag ingediend. Met onmiddellijke ingang. Geen uur, geen vijf minuten ga ik nog voor de klas. Verkeerde beroep gekozen. Maar ik ben niet van plan mijn leven te verpesten met die etters van kinderen. Ja sorry hoor, vooral jouw klas. Stelletje ongeregeld! Vreselijk.' Ze had ook al wat anders: gastvrouw in een autoshowroom. We hebben allebei zitten giechelen toen ze dat vertelde. Zou ze tien jaar ouder zijn dan ik? Vast niet veel meer.

'Jij wordt ook gepest hè? Zoek een andere school. Begin ergens opnieuw, net als ik.'

Zij heeft makkelijk praten. Neemt gewoon een andere baan. Op school heb ik maar niks verteld. Ze zouden me niet eens geloven. Wat vind jij: moet ik een andere school zoeken?

Groetjes, Agnes

woensdag 12 september

Lief dagboek,

Wat een walgelijk kind is die Daphne de Jong. Wat haat ik haar. Iedereen moet natuurlijk weten dat ze verliefd is op Davidson, die voor Witje in de plaats is gekomen. Best een aardige vent. Jong en heel knap. Hartstikke sportief met die grote motorfiets. Kan fantastisch vertellen. Nu is geschiedenis weer leuk. By the way, weet jij een manier om donderdag onder die excursie naar het Binnenhof uit te komen? Ik heb echt geen zin om een paar uur in de bus allerlei misselijke opmerkingen aan te moeten horen.

Groetjes, Agnes

dinsdag 18 september

Lief dagboek,

Dagje ziek geweest. Niet ernstig hoor. Komt al een tijdje elke maand terug, dan weet je het wel. De hele klas is knettergek. Ze proberen Harley te volgen tot ze weten waar die woont. Ze zeggen dat Pim het verzonnen heeft. Geloof ik niks van. Zal wel een krankzinnig idee van Daphne zijn. Je wordt er misselijk van als je ziet hoe al die knullen voor haar vliegen. Ja, ook Pim, helaas. Eigenlijk zou ik niet mee moeten doen, maar ik durf niet achter te blijven. Alleen Rachida zei dat haar ouders dit nooit goed zouden vinden. Shit, shit, shit (o sorry), waarom lachte toen niemand? Stel je voor dat ík dat gezegd had. Ik word er zo moe van.

Groetjes, Agnes

donderdag 20 september

Lief dagboek,

Geen smoes kunnen verzinnen. Maar... geluk bij een ongeluk: op de terugweg uit Den Haag heb ik naast Pim gezeten! Alleen, hij heeft bijna niks tegen me gezegd. Ik ook niet tegen hem. Stom hè? En die vlinders in mijn buik hadden het druk, zaten geen moment stil... O jee, nou weet je het toch. Niet verklappen, hè?

Groetjes, Agnes

donderdag 18 oktober

Lief dagboek,

Wouter zegt dat ze weten waar Harley woont. Schijnt een behoorlijk eind weg te zijn. Iedereen mag gaan kijken volgende week in de herfstvakantie. Ja, dat lees je goed: mág gaan kijken van meneer Jeffrey. Belachelijk, hè? Mij niet gezien. Heb ik ook gezegd deze keer. Leverde weer zo'n rotopmerking op van je-weet-wel. Esther komt zaterdag logeren. Gaan we lekker winkelen in Amsterdam. Ben je niet boos als ik in de vakantie geen tijd heb om te schrijven?

Groetjes, Agnes

maandag 29 oktober

Lief dagboek,

Om te gillen. Ze hebben in de vakantie ontdekt dat Harley een travestiet is. Van mij mag hij. Dat gezicht van Daphne! Net goed voor dat kreng. Wouter meteen weer bij haar slijmen met zijn discriminerende opmerkingen. Rachida en Carlijn waren woest op hem. En zij niet alleen.

Zelfs Pim protesteerde. Toen durfde ik ook. Maar ja, ik was natuurlijk meteen een trut die zich er niet mee moest bemoeien. Alles wat ik doe of zeg in de klas gaat fout.

Groetjes, Agnes

maandag 5 november

Lief dagboek,

Harley heeft een ongeluk gehad. Met zijn motor. Nogal ernstig, zegt Van Dijk. Iedereen is van slag. Het lijkt wel of ik opeens in een heel andere klas zit. Vooral Wouter is stil, dat valt meteen op. Ik geloof dat iedereen hem bewust maar een beetje met rust laat. Behalve Jeffrey natuurlijk, je kunt merken dat hij zijn vriend niet in de steek laat. Valt me eerlijk gezegd mee van hem. Wat ik echt niet kan begrijpen is dat Daphne doet of Wouter lucht is. Terwijl zíj toch... nou ja, genoeg, ik moet eens wat minder woorden aan dat kind vuil maken. Bosveld praat veel met ons.

Groetjes, Agnes

maandag 26 november

Lief dagboek,

Vanmorgen kwam Van Dijk in de klas vertellen dat Harley dood is. Niemand kan het geloven. Ik ben zo geschrokken dat ik er niet eens over kan schrijven. Later vertel ik je alles wel.

Groetjes, Agnes

vrijdag 7 december

Lief dagboek,

Complimentje van Bosveld gekregen voor mijn rapport: ik heb op één na de beste cijfers van de klas. Rachida is natuurlijk nog beter. Daar kan niemand tegenop. En ik gun het haar van harte. Maar waarom noemen ze mij een stuudje en haar niet?

Esther heeft gebeld. Of ik de kerstdagen naar Winterswijk kom. Ik denk dat mamma en pappa dat niet leuk zullen vin-

den. Zal ik vragen om met z'n allen te gaan? Maar ja, daar zal dat lieve zusje van mij wel geen zin in hebben.
Groetjes, Agnes

maandag 7 januari

Lief dagboek,

Je hebt het natuurlijk al begrepen: als ze zo lang niks van zich laat horen, is ze weg. Klopt. Toch bij Esther geweest. De eerste week alleen, de tweede week kwamen mamma, pappa, Monique en Erik oud en nieuw vieren. Ik hoef je natuurlijk niet te vertellen hoe gezellig het was. Misschien moet ik je in het nieuwe jaar wat vaker over andere dingen dan de school schrijven. Goede voornemens, weet je wel?
Groetjes, Agnes

woensdag 16 januari

Lief dagboek

Gesprek met Bosveld gehad. 'Probeer eens te vergeten dat je zo graag door iedereen aardig gevonden wilt worden,' zei ze. Heeft ze natuurlijk gelijk in. Maar zeggen en doen is twee. Heus waar, ik heb daar echt aan gedacht toen Valerie vanmorgen voor schooltijd mijn werkboek Frans vroeg. Nou ja – vroeg! 'Geef me je schrift effe, Leuken!' En toen ik aarzelde: 'Komt er nog wat van?' En wat deed ik? Juist ja, hoe raad je het zo! Ik ben bang dat er maar één oplossing is. (Alleen jij weet waarom ik die nou net niet wil!) Ik weet niet of het slim van me was, maar ik heb Bosveld gevraagd of ze ervoor kon zorgen dat Big Ben me bij Engels geen complimentjes meer geeft. Ik word ziek van wat ik daarna weer aan moet horen van D. (ik kan haar naam niet meer uit mijn pen krijgen) en haar vriendinnen. Vooral Valerie wordt steeds erger.
Groetjes, Agnes

woensdag 30 januari

Lief dagboek,

Die etters bedenken allemaal een smoes om niet naar Pims feest te hoeven. Zal ik wel gaan? Is dat niet vreselijk gek? Ik ben zo bang dat hij me wegstuurt als ik de enige ben. Ik weet zeker dat ik dat niet zal kunnen verdragen. Maar als ze allemaal wegblijven en ik ben er wél! En we zijn dan gezellig samen... oef, ik krijg het er warm van. Stomme meidenfantasie, hè? Ik durf toch niet. Heb net een uur voor de spiegel gestaan om te kijken wat me het mooist staat. Voor als ik ga. Als ik ga...

Groetjes, Agnes

vrijdag 1 februari

Lief dagboek,

Gisteren schreef ik je al over die eindeloos mooie avond bij Pim thuis. Als ik het nu teruglees, staat het er allemaal een beetje warrig en kan ik nauwelijks geloven dat het echt gebeurd is. O lieve schat, dat ik dat allemaal gedurfd heb! En het wordt nog veel mooier. Want nu weet ik het heel, heel zeker: Pim is ook verliefd op mij. Hij heeft net gebeld... dat-ie dat durft, terwijl de hele klas bij hem thuis zit. Hij wilde dat ik ook kwam, maar ik heb geen zin om dat heerlijke gevoel van gisteravond te laten verpesten door D. Weet je wat Pim toen vroeg? 'Kom je morgenavond?' Stel je voor, wordt vast weer net zo fantastisch. Samen kletsen, samen dansen... ik geloof dat ik nergens anders meer aan kan denken. Stel je toch eens voor dat ik naar een andere school was gegaan, dan zou dit nooit... nee, dat schrijf ik niet op!

Groetjes, Agnes

dinsdag 12 februari

Lief dagboek,

Gisteren heb ik je geschreven over die flauwe streek die ze in de klas willen uithalen met Dorland, met dat zogenaamde gedicht van Stefan. Als ze erachter komen wat ik vandaag gedaan heb, heb ik helemaal geen leven meer. Hoewel, met die rottige telefoontjes (zit D. achter, zeker weten) heb ik dat toch al niet. Ben ik een verrader? Maar Dorretje is de enige die dat serpent midden in de klas ongenadig op haar kop heeft gegeven. Sorry, je wilt natuurlijk weten waar ik het over heb: ik heb Dorland een briefje geschreven (anoniem natuurlijk) om hem te waarschuwen dat Stefan zijn gedicht niet zelf heeft geschreven! Ik durf het zelfs niet tegen Pim te zeggen. Jij alleen weet het. Alsjeblieft, alsjeblieft, je moet dit geheim bewaren!

Groetjes, Agnes

woensdag 20 februari

Lief dagboek,

Pappa is woest. Hij wil morgen naar school. Een uur geleden (ik lag al op bed) kwam er weer zo'n smerig telefoontje. Ik ben zo stom geweest om pappa te vertellen dat het de stem van D. is. Hoe kan ik hem tegenhouden? Als hij gaat klagen (hij wil zelfs naar haar ouders) ga ik echt niet meer naar school...

Groetjes, Agnes

dinsdag 26 februari

Lief dagboek,

Vandaag moest ik weer naar school van mamma. 'Ik kan je niet ziek blijven melden,' zei ze. Pappa wil nu echt dat ik naar een andere school ga. 'Erger dan hier kan het nooit worden,' zegt hij. Maar ondanks alles wat er gebeurd is, wil ik het nog steeds niet opgeven. Stom natuurlijk. Maar... het is zo gek in mijn gedachten: hier weet ik tenminste elke dag wat me te wachten staat. Nu begrijp jij er ook niks meer van, hè? Ik zelf ook niet. D. praat niet meer tegen me. Maar de manier waarop ze naar me kijkt! Ik ben nog niet van haar af.

Groetjes, Agnes

zaterdag 16 maart

Lief dagboek,

Fantastisch weer vandaag. Leek wel voorjaar. Samen met Pim, op de fiets, naar het graf van Harley geweest. Was mijn voorstel. 'Vind je dat gek?' vroeg ik, maar Pim zei dat hij graag meeging. Hij had het al eerder gewild, maar durfde het mij niet te vragen! Op de terugweg vertelde hij dat die speurtocht naar Harley's huis toch zijn voorstel was geweest. 'Maar,' zei hij, 'die zoen van je-weet-wel... elke ochtend was ik mijn rechterwang nog een beetje extra.' Hij lachte, maar het klonk toch wel heel serieus. Schattig, hè? Een kerkhof bezoeken en dan toch zo blij naar huis fietsen... kan dat wel?

Groetjes, Agnes

maandag 25 maart

Lief dagboek,

Afgelopen! Over! Uit! Ik heb het lang genoeg geprobeerd, maar het gaat echt niet meer. Sinds afgelopen woensdag ben ik niet meer naar school geweest. Ik jank, ik stamp, ik schop, ik huil. Ben ontzettend kwaad. Het ene moment ben ik opgelucht dat ik niet meer terug hoef, twee tellen later denk ik: Hoe moet dat nou straks in een nieuwe klas? Zullen ze daar weer...? Vanmiddag ga ik met mamma op die andere school praten. Er is maar één lichtpuntje: Pim belt elke avond. Hij zegt dat-ie me nooit in de steek laat. Lief hè? Nu ik weg ben wil hij woensdag ook niet meer meedoen met *Zip your lip*. Heb ik maar niet op gereageerd. Op dit moment wil ik helemaal niet meer aan die school denken. En dat terwijl mijn hoofd er vol mee zit...

Groetjes, Agnes

dinsdag 26 maart

Lief dagboek,

Morgen is het zover. Ze vinden daar dat ik zo snel mogelijk weer naar school moet. Ik ben vreselijk zenuwachtig.

Die nieuwe mentor leek me wel aardig. (Niet zo aardig als Bosveld. Begin ik nu alweer te zeuren?) Hij zei dat ik in een heel rustige klas kom, met veel meisjes. Vanmorgen – toen we met z'n tweetjes in huis waren – heb ik alles aan mamma verteld. Ze wist natuurlijk heel veel, maar ze schrok van alle details. Even flink gejankt, nu toch wel opgelucht. Ik ga helemaal opnieuw beginnen. (Net als Witje, weet je nog?) Eén ding blijft hetzelfde: Pim. Aan hem denken is de enige manier om vrolijk te worden.

Groetjes, Agnes

zaterdag 13 april

Lief dagboek,

Pim is woest. Ik heb hem verteld wat er gistermiddag in de trein is gebeurd. 'Nou gaat het zo goed op je nieuwe school, beginnen die kankermeiden weer.' Ik moest hem smeken maandag niks te doen of te zeggen. Dat doet haar vader wel. Die staat helemaal achter me (Pappa had gisteravond een lang telefoongesprek met hem). Bood zijn excuses aan! 'Ik ben blij dat ik niet zo'n dochter heb,' zei pappa. Verder liet hij niet zoveel los. Interesseert me ook geen fluit wat er met die meiden gebeurt. Ik ben vreselijk geschrokken en thuis heb ik bakken vol gejankt, maar de nieuwe klas is perfect en Pim is lief, wat wil ik nog meer? Nou ja, met rust gelaten worden! Ik moet je nog iets heel vervelends vertellen: dit is mijn laatste brief aan jou. Schrik je daarvan? Ik vind mezelf ook heel gemeen: ik laat je in de steek terwijl je zo lang geduldig naar mijn gezanik geluisterd hebt. Maar dat is het nu juist. Ik heb nog eens teruggebladerd: al dat geschrijf over school, al die nare dingen die ik heb opgeschreven. Jij kan daar niks aan doen, maar jij hoort wel helemaal bij mijn oude school. En dat wil ik afsluiten, nu, vanavond! Ik denk dat het ook komt door wat er gisteren gebeurd is. Heel, heel erg bedankt voor alles! Ik zal je nooit vergeten. (Maar eigenlijk wil ik je wel vergeten! Shit, wat is het toch allemaal ingewikkeld!) Je bent lief en ik beloof je, dat als ik spijt krijg, ik je nog een keer zal schrijven. Dag, kusje...

Agnes

Daphne en Agnes

Lieve Valerie,

Jammer voor je dat je werk in Florida een half jaar eerder beëindigd wordt dan je verwachtte. Eerlijk gezegd vind ík dat niet zo erg. Ik mis je verschrikkelijk en ik zal blij zijn als we elkaar weer onbeperkt kunnen bellen. Met name de afgelopen weken is er veel gebeurd waar ik graag met jou over had willen praten. M'n eerste baan en meteen mentrix van een brugklas. Loodzwaar. Klas van twintig leerlingen, maar er zijn er minstens vijf die dubbel tellen. Dan weet je het wel. Wat kunnen kinderen ongelooflijk treiteren. (Je lacht, rotmeid! Ik hoor het hier vandaan: koekje van eigen deeg!) Gelukkig heb ik Bosveld als coach. (Ik vind het nog steeds moeilijk om Hanneke tegen haar te zeggen.)

'Het eerste jaar is voor iedereen lastig. Zet door. Je redt het vast en zeker,' zei ze gisteren toen ik het even niet zag zitten. Wat een kei van een mens is dat toch. Jij had je twijfels of het wel slim is om op je oude school te gaan werken. Die had ik ook, zoals je weet, maar na die leuke stageperiode heeft Bosveld (sorry: Hanneke!) me over de streep getrokken. 'We bieden je die baan aan, omdat we vertrouwen in je hebben,' zei ze. Dat streelt, nietwaar? Je hebt er ook geen idee van hoeveel hier – na twee fusies met andere scholen – is veranderd. Van de docenten die wij hebben gehad zijn er nog maar twee over: Dorland (niks veranderd) en Veringa. Big Ben, weet je nog? Aardige kerel, maar nog steeds een vrolijke puinhoop bij hem. (Moet ík nodig zeggen!) Wist je dat Rozeboom tegenwoordig directeur is? En Hanneke is er natuurlijk nog. Helaas niet zo lang meer. Vreselijk jammer dat ze aan het eind van dit schooljaar stopt: 63 is ze al, maar zo vitaal.

Ik moet je nog een ander verhaal vertellen. Alleen aan jou, want als ik eraan terugdenk, slaan de vlammen me weer uit. Vorige week vrijdag stond ik in de rij op het postkantoor. Waanzinnig druk. In de rij naast mij voor het andere loket stond ze als laatste, een huilende baby in de maxi-cosi terwijl het kind aan haar hand dramde dat het gedragen wilde worden. Ze was mooi, heel mooi met haar lange blonde haar en zwartleren jas. Ze tilde het meisje op en drukte het sussend tegen zich aan. Achter me werd gefloten! (Macho kerels!) Toen ze mijn kant op keek, kreeg ik een schok. Je gelooft het echt niet: Agnes... Agnes Leuken! Hoeveel bellen gaan er dan niet rinkelen bij jou? Heel veel, toch? Stel je voor: net zo oud als wij (hooguit 24) en dan al twee kinderen. En getrouwd...? Ik durfde nauwelijks meer te kijken, voelde dat ik warm werd. (Dat lees je goed: Daphne kreeg een kleur!) Wat hebben we (ik vooral!) dat kind gepest en getreiterd. Zelfs nog toen ze al van school was. (Weet je nog van die noodrem in de trein? Als Van Dijk toen niet een goed woordje voor me had gedaan, had mijn vader me naar een internaat gestuurd.) Nu besef ik pas wat een kreng van een meid ik was. (Vergeef me het cliché!) Maar het verha[illegible] nog niet af.

Toen ik weer durfde te kijken zat ze gehurkt bij de maxicosi. De baby was stil. Agnes had haar arm om het meisje geslagen dat niet meer huilde en druk en voor mij onverstaanbaar tegen haar brabbelde. Ze praatte mee (op die wat kinderachtige kleutermanier van sommige moeders). Als ik nog twijfelde dan wist ik het nu zeker: die hoge stem herken je uit duizenden. Voor haar schoof iemand de rij in. Ze merkte het niet, te druk met haar kinderen. *Eerst denken en dan pas doen* is niet mijn sterkste kant. Met twee stappen stond ik naast die kerel.

'Dat is niet eerlijk meneer. We staan hier allemaal al lang te wachten. U moet net als ieder ander achteraan aansluiten.' (Je kent me, dus weet je hoe dat klonk en hoe ik daarbij keek!) Hij wilde wat terugzeggen maar gelukkig kreeg ik bijval van anderen. Toen ging hij toch maar een paar stappen achteruit.

Agnes keek naar me op. Met beide handjes greep het kind zich vast aan de jas van haar moeder, zichtbaar geschrokken van mijn harde stem. 'Dank u wel, dat is attent van u.' Ze ging staan, fronste haar voorhoofd en keek me peinzend aan. Ik knikte kort en deed alweer een stap om naar mijn eigen rij terug te gaan. 'Wacht eens... u lijkt op iemand... iemand van vroeger... uit mijn klas...' Toen schudde ze haar hoofd en begon te lachen. 'Ach nee, wat dom van me, dat kan natuurlijk helemaal niet. U bent zo aardig, maar... dat was me een kreng!' Door de grond zakken, dat had ik graag gewild. Met een knalrood hoofd stapte ik terug in mijn rij. Achter me werd gegrinnikt. 'Mooi rood is niet lelijk.' (Vast dezelfde macho.) Heeft ze me nou herkend of niet? Ze was slim, weet je nog? Heel slim. Misschien deed ze wel alsof. Stom van me natuurlijk om niks terug te zeggen.

Waarom ik je dit zo uitgebreid vertel? Schaamte! Schaamte, omdat ik merkte dat ze me – na al die jaren – nog steeds irriteert. Vooral die stem! Ergens op een eilandje in mijn hoofd (onbewoond, mag ik hopen!) zit kennelijk die Daphne van tien jaar geleden nog op wacht. En dat was even schrikken.

Wat een walgelijk lange brief is dit geworden. En alleen maar over mezelf. (Excuus!) Er zaten me een paar dingen dwars en ik weet nu eenmaal dat ik die bij jou kwijt kan. Schrijf je gauw terug? Groeten van (Bosv...) Hanneke! Ze vroeg of we een keer bij haar langskomen als jij terug bent. Leuk hè?

Kus!

Daphne

* * *

Lief dagboek,

Het kostte wat moeite, maar ik heb je weer gevonden, helemaal onder in een doos met oude schoolspullen. Je hebt er recht op te weten wie ik vanmiddag op het postkantoor heb gezien. (Eerlijk is eerlijk: ik zou nog wat van me laten horen, schreef ik je ruim tien jaar geleden!) Ze was het... Daphne de Jong... ik weet het zeker. En ze heeft mij ook herkend. Waarom kreeg ze anders een hoofd als vuur en keek ze later nog een paar keer schichtig om? 't Was eigenlijk wel aardig van haar dat ze die kerel die in de rij voordrong op zijn nummer zette – of deed ze dat vóór ze me herkende? (Gemeen van me om dat te denken!) Kreng! Ja, dat heb ik echt gezegd. Raar hè, zo lang geleden en toch was het een opluchting dat woord een keer in haar gezicht te slingeren. Vind je dat kinderachtig voor een moeder van twee kinderen? Ach nee, jij was vroeger al één van de weinigen die me begreep. En ook al heb ik je er niet meer mee lastiggevallen, je mag best weten dat die periode me behoorlijk dwars heeft gezeten. Ik kan het niet helpen, maar jij blijft bij die tijd horen. Zoals ik je op die 13e april (zo lang geleden) al schreef: ik wil je niet... en wel vergeten! Daarom: je bent lief, maar ik stop jou meteen weer snel in die kartonnen doos! Wat vind je... zal ik het aan Pim vertellen als hij straks thuiskomt?

Kusje!

Agnes